Triangles

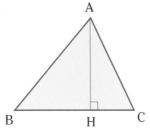

AH est la hauteur issue du sommet A
BC est la base.

Triangle rectangle	**Triangle isocèle**	**Triangle équilatéral**

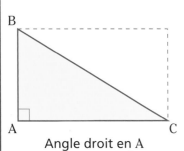

Angle droit en A

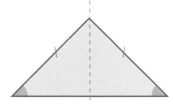

Un axe de symétrie.
Deux côtés de même mesure.
Deux angles égaux.

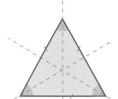

Trois axes de symétrie.
Trois côtés de même mesure.
Trois angles égaux.

Quadrilatères

Un **quadrilatère** est un polygone qui a quatre côtés et deux diagonales.

Un **trapèze** est un quadrilatère qui a deux côtés parallèles.

Un **parallélogramme** est un quadrilatère dont les côtés opposés sont parallèles.

Un **rectangle** a quatre angles droits, les côtés opposés sont parallèles et de même longueur.
Il possède deux axes de symétrie.

Un **losange** a quatre côtés égaux.
Les côtés opposés sont parallèles.
Il possède deux axes de symétrie.

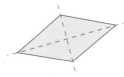

Un **carré** a quatre angles droits et quatre côtés égaux.
Les côtés opposés sont parallèles.
Il possède quatre axes de symétrie.

 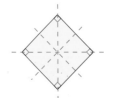

NOUVELLE ÉDITION
PROGRAMMES 2008

POUR COMPRENDRE LES MATHÉMATIQUES

CM2 *cycle 3*

J.-P. Blanc
Directeur d'école

P. Bramand
Professeur agrégé

P. Debû
Professeur d'I.U.F.M.

J. Gély
Directeur d'école

É. Lafont
Professeur des Écoles

D. Peynichou
I.M.F.

A. Vargas
Directeur d'école

Et moi, Mathéo !

hachette
ÉDUCATION

Mode d'emploi

Ce manuel, conforme aux programmes de juin 2008, a été conçu dans une optique résolument constructiviste : « **Faire des mathématiques, c'est résoudre des problèmes.** » Nous avons apporté un soin particulier à la maîtrise du **langage**, au **débat mathématique**, à la pratique du **calcul raisonné** (calcul réfléchi, calcul automatisé, calcul instrumenté), à l'**analyse de problèmes** (recherche personnelle et argumentation), aux **activités géométriques** (analyse de figures, tracés à main levée…) et à la recherche de l'**autonomie** des élèves.

Les exercices de **préparation à l'évaluation** (QCM) facilitent la correction et la remédiation.

Quelques pages d'**ateliers informatiques** permettent aux élèves, en autonomie, d'approfondir leurs connaissances dans le cadre du B2i.

Tout au long de l'ouvrage, **une mascotte** guide les enfants par ses questions pertinentes ou ses conseils judicieux.

➤ Introduite par un débat sur la notion étudiée, la double page **leçon** a pour support une **activité de recherche** suivie par des exercices et des problèmes d'application.

Calcul mental
Rappel pour l'enseignant. Les batteries d'items figurent dans le guide pédagogique.

S'exercer, résoudre
Mise en pratique individuelle et progressive des apprentissages abordés dans l'activité de recherche. La couleur des numéros des exercices permet de signaler leur rangement par ordre de difficulté croissante.

Compétences
Informations pour l'enseignant. Compétences des Programmes 2008 traitées dans la leçon.

Lire, débattre
Activité collective, de courte durée, conduite par l'enseignant, et permettant d'introduire la leçon par un débat mathématique. Elle contribue aussi à sensibiliser les enfants à certains éléments culturels, scientifiques, artistiques, historiques…

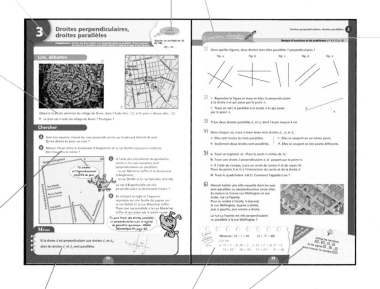

Chercher
Activité de recherche individuelle ou par groupes. La mise en commun conduite par l'enseignant est collective. Elle vise à développer chez les enfants un comportement de recherche :
– émettre des hypothèses et les tester ;
– procéder à des essais successifs et les gérer ;
– élaborer et éprouver la validité d'une solution originale ;
– argumenter.

Mémo
Points importants à retenir et à réinvestir.

Coin du chercheur
Exercice ludique qui fait appel à la logique, à l'observation… que l'enfant peut traiter individuellement à n'importe quel moment.

Réinvestissement ou Calcul réfléchi
Exercice indépendant de la leçon qui reprend des apprentissages antérieurs ou qui propose des méthodes de calcul introduites par une activité.

Prolongements
Renvois à des exercices et des problèmes complémentaires de remédiation, de consolidation et d'approfondissement qui figurent dans la banque en fin de période.

➤ Calcul réfléchi

L'expression « calcul réfléchi » recouvre à la fois des calculs dont le traitement est purement **mental** et des calculs effectués en s'appuyant sur des traces écrites.

Comprendre et choisir

Exploitation de diverses procédures mises en œuvre pour résoudre un même calcul.

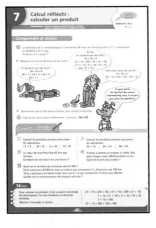

➤ Problèmes : procédures personnelles

Ces pages développent chez l'élève un comportement de recherche dans des problèmes pour lesquels il ne dispose pas de solution experte.

Chercher, argumenter

Activité de recherche pour développer le désir de chercher, l'imagination et les capacités de résolution.

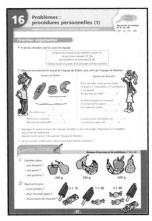

➤ Problèmes

Ce sont des problèmes pour apprendre. Ils ont pour but de développer chez les élèves un **comportement de recherche** et des **compétences d'ordre méthodologique**.

Lire, chercher

La spécificité des textes utilisés en mathématiques nécessite un travail particulier relatif à leur lecture : recherche des indices pertinents, aller-retour fréquents entre l'énoncé et la question…, avec prise d'informations sur supports variés.

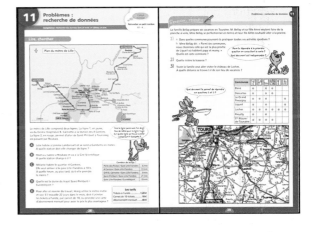

➤ Mobilise tes connaissances

Situations plus complexes que les précédentes, en relation avec **d'autres domaines de savoirs**. Leur résolution nécessite la mobilisation de plusieurs catégories de connaissances.

➤ Fais le point

En fin de période, l'enseignant trouve des exercices préparatoires à **l'évaluation**. La présentation type QCM permet une correction aisée. La colonne *Aide* apporte soit un soutien à l'élève en autonomie, soit une orientation pour l'enseignant lors de la **remédiation**.

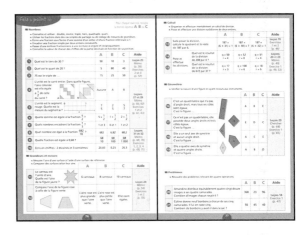

Sommaire

Table des matières par domaine

Moi, j'aurais fait des tags plus rigolos !

Eh ! Venez voir ! Ils ont décoré le mur de la maternelle !

C'est pour y placer des statues !

Les ouvriers ont oublié ces blocs de pierre.

TRAVAUX DU SOLIDE

① ② ③ ④

A

B

14. En prenant le carreau comme unité, calcule l'aire du triangle vert, celle du triangle rose, puis celle du moulin terminé.

12. Reproduis la rosace sur du papier quadrillé.

15. Reproduis et complète le dessin du chat en prenant la droite rouge comme axe de symétrie.

13. Reproduis et termine le moulin en commençant par le triangle vert. Colorie ton dessin.

16. Comment appelle-t-on le solide **A**. Quel est son patron ? Quel est le nom du solide **B** ? Quel est son patron ?

Retrouve Mathéo la mascotte.
Cherche dans le dessin des détails illustrant les notions étudiées dans la période.

Période 1

	Leçons		Leçons
• Connaître, savoir écrire et nommer, comparer, ranger, encadrer les nombres entiers naturels.	1, 2, 6, 14	• Utiliser sa calculatrice à bon escient.	9
		• Multiplier deux nombres entiers.	7, 8, 13
• Reconnaître et résoudre des situations additives ou soustractives.	4	• Vérifier le parallélisme et la perpendicularité, tracer des droites perpendiculaires ou parallèles.	3
• Estimer un ordre de grandeur.	5	• Reconnaître, décrire et nommer les solides droits : cube et pavé.	12
• Connaître et utiliser les unités du système métrique pour les longueurs ainsi que leurs relations.	10	• Résoudre des problèmes complexes.	11, 15, 16, 17

1 Les milliers (1)

Compétences : Lire, écrire, ordonner et décomposer les nombres.
Connaître les notions de *précédent, suivant*.

Lire, débattre

Quand Sindbad arriva dans la ville de Basra il fut reçu par le calife qui l'accueillit par ces mots :

« Bienvenue dans la ville la plus puissante d'Orient !

– Sire, je viens de Damas qui compte près de cent mille habitants ! »

Le calife, surpris, ordonna un recensement* de tous les habitants de la ville. Elle ne comptait que quatre-vingt-douze mille trois cent cinquante-deux habitants. Alors l'émir ordonna à tous ses sujets de procréer, à ses soldats de capturer des esclaves, il interdit les exécutions des brigands.

À la fin de l'année, la ville s'était enrichie de dix mille nouveaux habitants. C'est du moins ce que son premier ministre affirma. Le calife fit venir Sindbad :

« Alors reconnais-tu maintenant que ma ville est la plus peuplée d'Orient ? »

● Que va répondre Sindbad ?

(D'après *Sindbad le marin*)

* recensement : comptage officiel de la population.

Chercher

Voici les populations de 10 villes françaises. Sur la carte, elles sont signalées par un point noir et numérotées de la plus peuplée (1) à la moins peuplée (10).

Ajaccio	52 880
Bordeaux	215 363
Le Havre	190 905
Lille	215 597
Lyon	445 455
Marseille	798 430
Nantes	270 251
Rennes	206 229
Strasbourg	264 015
Toulouse	390 350

(Recensement 1999)

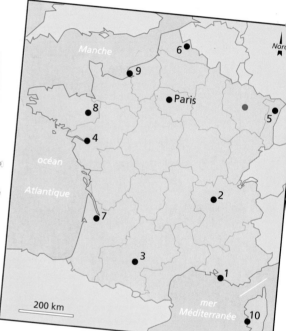

A Range ces villes par ordre décroissant de leur nombre d'habitants et retrouve leur emplacement sur la carte.

B Quelles villes ont plus de 250 000 habitants et moins de 500 000 habitants ?

C La ville marquée d'un point rouge est Nancy ; elle compte cent trois mille six cent cinq habitants. Écris ce nombre en chiffres.

D Écris en lettres la population d'Ajaccio, celle de Marseille et celle de Strasbourg.

N'oublie pas les séparations entre les classes.

E Quelle est la ville dont la population peut s'écrire :
$(2 \times 100\ 000) + (1 \times 10\ 000) + (5 \times 1\ 000) + (3 \times 100) + (6 \times 10) + 3$?
Écris de la même façon la population d'Ajaccio et celle de Rennes.

CLASSE DES MILLE   CLASSE DES UNITÉS

Mémo

Observe comment décomposer les nombres :

$510\ 720 = (5 \times 100\ 000) + (1 \times 10\ 000) + (7 \times 100) + (2 \times 10)$

$510\ 720 = \quad 500\ 000 \quad + \quad 10\ 000 \quad + \quad 700 \quad + \quad 20$

cinq cent dix mille sept cent vingt.

classe des mille			classe des unités		
c	d	u	c	d	u
5	1	0	7	2	0

S'exercer, résoudre

Banque d'exercices et de problèmes nos 1 à 4 p. 42.

1) Écris les nombres en chiffres.
- quatre-vingt-dix-sept mille six cents
- cent vingt-cinq mille cinquante
- deux cent mille quatre-vingt-sept
- neuf cent mille

2) Écris les nombres en lettres.

a. 77 000 ; 90 010 ; 300 005

b. 37 080 ; 100 900 ; 703 560

3) Recopie chaque nombre selon l'exemple, en séparant la classe des mille et celle des unités par un intervalle.

739602 ❯ 739 602

91540 ; 52009 ; 820000 ; 93030 ; 930300

4) Compare les nombres selon l'exemple.

47 312 > 47 213   126 498 < 126 500

a. 48 902 … 48 709 ; 57 995 … 75 995

b. 143 109 … 97 999 ; 600 100 … 600 954

5) Recopie et complète le tableau selon l'exemple.

205 309	$(2 \times 100\,000) + (5 \times 1000) + (3 \times 100) + 9$ $200\,000 \quad + \quad 5\,000 \quad + \quad … \quad + …$
40 920	… …
…	$(5 \times 100\,000) + (9 \times 10\,000) + (8 \times 10) + 7$ $500\,000 \quad + \quad …$
…	$(9 \times 10\,000) + (7 \times 100) + (8 \times 10)$ $90\,000 \quad + \quad …$

6) Recopie et complète le tableau.

Nombre précédent	Nombre	Nombre suivant
…	90 080	…
…	199 000	…
300 099	…	…
410 000	…	…
…	…	720 000
…	503 800	…

7) Voici les masses de trois avions commerciaux :

Attention ! Dans le tableau ci-dessus, les trois nombres doivent se suivre : ils sont consécutifs !

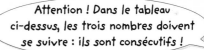

Airbus A 340 (France)
260 000 kg

Boeing 747 (USA)
351 000 kg

Airbus A 380 (France)
560 000 kg

a. Quel est l'appareil le plus lourd ? Quel est le plus léger ?

b. Calcule leur différence de masse.

8) La Poste répond à chaque lettre adressée au Père Noël par une carte.
Elle a reçu 875 000 lettres parmi lesquelles 25 000 lettres d'écoles, 44 000 provenant du site Internet du Père Noël et un grand nombre de lettres individuelles.

Combien de lettres individuelles La Poste a-t-elle reçues ?

Calcul réfléchi

Observe : 48 + 21 = 48 + 20 + 1 = 68 + 1 = 69

Calcule.

52 + 11 ; 47 + 21 ; 135 + 21 ; 74 + 31

Le coin du chercheur

La somme de deux nombres consécutifs est égale à 57. Quels sont ces deux nombres ?

Les milliers (2)

Compétences : Distinguer *chiffre* des milliers et *nombre* de milliers. Situer des nombres sur une droite graduée. Multiplier et diviser un nombre entier par 10, 100, 1 000.

Lire, débattre

Consulte la carte, tu auras la réponse !

La superficie de la Belgique est 30⬤km², celle de l'Allemagne est 357 040 km².

Pour la Belgique, c'est 30 milliers ou 300 milliers ?

Pays	Superficie en km²
Allemagne	357 040
Danemark	43 093
Espagne	504 782
France	551 602
Royaume-Uni	244 734
Grèce	131 957
Luxembourg	2 526

Chercher

A Observe le tableau ci-contre.
Reproduis la droite graduée et places-y chacun des pays selon sa superficie en milliers de km².

Par exemple, la superficie de l'Allemagne (A) est 357 milliers de km².

| 0 | 100 | 200 | 300 | 400 | 500 | 600 | en milliers de km² |

A

B Dans le nombre qui exprime la superficie de l'Allemagne, quel est le **chiffre** des milliers ?
Quel est le **nombre** de milliers ? Fais le même travail pour le Danemark et l'Espagne.

C Écris les superficies des pays selon l'ordre décroissant.

D Intercale dans cette liste la superficie de l'Italie (301 200 km²), celle du Portugal (92 072 km²), puis celle de la Belgique (30 528 km²).

E La superficie du Royaume-Uni est-elle environ 10, 100 ou 1 000 fois supérieure à celle du Luxembourg ?

Mémo

Ne confonds pas le **nombre** de milliers et le **chiffre** des milliers.

$$357\ 040 = (357 \times 1\ 000) + 40$$

357 040 c'est 350 milliers et 40 unités

```
     chiffre des milliers
357 040
     nombre de milliers
```

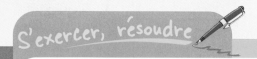

S'exercer, résoudre

Banque d'exercices et de problèmes nᵒˢ 5 à 8 p. 42.

1) Dans chacun des nombres suivants :

805   5 080

185 000

156 008   **800 950**

que représente :

a. le chiffre 8 ?   **b.** le chiffre 5 ?

2) Décompose chaque nombre selon l'exemple, puis indique le nombre de dizaines et le nombre de milliers.

3 524 = (352 × 10) + 4
3 524 c'est 352 dizaines et 4 unités.
3 524 = (3 × 1 000) + 524
3 524, c'est 3 milliers et 524 unités.

86 206   ;   198 420   ;   600 075

3) Observe l'exemple.

14 245 = (142 × 100) + 45
14 245 c'est 142 centaines et 45 unités.

Quel est le nombre de centaines dans chacun des nombres suivants ?

21 602   ;   405 806   ;   700 351   ;   912

4) Calcule.

	a.		b.
	512 × 100		17 200 : 100
	314 × 1 000		47 300 : 10
	78 × 10 000		724 000 : 100
	5 240 × 10		800 000 : 10 000

5) **a.** Reproduis la droite graduée sur ton cahier.

| 58 900 | 59 000 | 59 100 | 59 200 | 59 300 | 59 400 | 59 500 | 59 600 |

b. Places-y les nombres   59 215 = A;   58 875 = B;   59 650 = C;   59 050 = D

c. Encadre chaque nombre entre les centaines les plus proches, selon l'exemple.
59 200 < 59 215 < 59 300

6) La ville de Ramatuelle, dans le Var, compte 1 945 habitants. Elle est environ 100 fois moins peuplée que la ville du Havre, en Seine-Maritime.

Quel est, environ, le nombre d'habitants du Havre ?

Mille habitants, c'est un millier d'habitants.

7) En France, on compte en moyenne une boulangerie pour 1 000 habitants et une salle de cinéma pour 10 000 habitants.
Quel est, environ, le nombre de boulangeries et de salles de cinéma :

a. à Nice (342 700 habitants) ?   **b.** à Niort (56 600 habitants) ?

8) Au nombre 248 709, j'ajoute une centaine de mille, une dizaine de mille et trois dizaines.

a. Quel nombre ai-je obtenu ?

b. Quel nombre ai-je ajouté ?

Le coin du chercheur

Combien de carrés se cachent dans cette figure ?

Réinvestissement   Utilise les signes < ou > pour comparer les nombres.

a. 65 205 et 56 250   **c.** 305 984 et 350 984

b. 200 674 et 200 764   **d.** 34 005 et 35 004

3
Droites perpendiculaires, droites parallèles

Compétences : Vérifier que deux droites sont perpendiculaires ou parallèles. Tracer la perpendiculaire ou la parallèle à une droite donnée à l'aide de la règle et de l'équerre.

Calcul mental

Ajouter un multiple de 10, de 100…

286 + 40, …

Lire, débattre

①

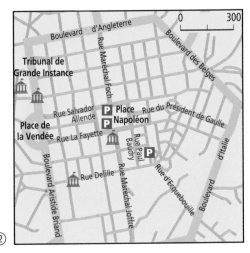

②

Observe la photo aérienne du village de Bram, dans l'Aude (doc. ①), et le plan ci-dessus (doc. ②).

● Le plan est-il celui du village de Bram ? Pourquoi ?

Chercher

A Avec ton équerre, trouve les rues perpendiculaires au boulevard Aristide Briand. Qu'en déduis-tu pour ces rues ?

B Mesure l'écart entre le boulevard d'Angleterre et la rue Delille à plusieurs endroits. Est-il toujours le même ?

Boulevard d'Angleterre

0   300

Ce schéma est l'agrandissement simplifié du plan.

Boulevard Aristide Briand

Rue Allende

Rue La Fayette

Rue Delille

Rue Maréchal Joffre

Rue d'Ecquebouille

Boulevard d'Italie

C À l'aide des instruments de géométrie, vérifie si les rues suivantes sont perpendiculaires ou parallèles :
– la rue Maréchal Joffre et le boulevard d'Angleterre ;
– la rue Delille et la rue Salvador Allende.

La rue d'Ecquebouille est-elle perpendiculaire au boulevard d'Italie ?

D En utilisant la règle et l'équerre, reproduis sur une feuille de papier uni la rue Delille et la rue Maréchal Joffre. Trace une rue parallèle à la rue Maréchal Joffre et qui passe par le point rouge.

Tu peux tracer des droites parallèles ou perpendiculaires avec un logiciel de géométrie dynamique : Atelier informatique n°4, page 187.

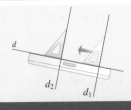

Mémo

Si la droite d est perpendiculaire aux droites d_1 et d_2,

alors les droites d_1 et d_2 sont parallèles.

d

d_2 d_1

S'exercer, résoudre

Banque d'exercices et de problèmes nos 9 à 12 p. 42.

1) Dans quelles figures, deux droites sont-elles parallèles ? perpendiculaires ?

fig. a   fig. b   fig. c   fig. d   fig. e

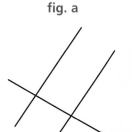

2) **a.** Reproduis la figure et trace en bleu la perpendiculaire à la droite d et qui passe par le point A.

b. Trace en vert la parallèle à la droite d et qui passe par le point A.

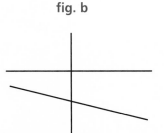

d ×A

3) Trace deux droites parallèles d_1 et d_2 dont l'écart mesure 4 cm.

4) Dans chaque cas, trace à main levée trois droites d_1, d_2 et d_3.

a. Elles sont toutes les trois parallèles.

b. Seulement deux droites sont parallèles.

c. Elles se coupent en un même point.

d. Elles se coupent en des points différents.

5) **a.** Trace un segment AC. Place le point O milieu de AC.

b. Trace une droite d perpendiculaire à AC passant par le point O.

c. À l'aide du compas, trace un cercle de centre O et de rayon OC. Place les points B et D à l'intersection du cercle et de la droite d.

d. Trace le quadrilatère ABCD. Comment l'appelle-t-on ?

6) Mareck habite une ville nouvelle dont les rues sont parallèles ou perpendiculaires entre elles. Sa maison se trouve rue Wellington et son école, rue La Fayette.
Pour se rendre à l'école, il descend la rue Wellington, tourne à droite, puis à gauche, puis encore à droite.

La rue La Fayette est-elle perpendiculaire ou parallèle à la rue Wellington ?

 Calcul réfléchi

Observe : 23 × 2 = 46   23 × 20 = 460

Calcule.

a. 14 × 2	**b.** 28 × 3	**c.** 47 × 2	**d.** 21 × 4
14 × 20	28 × 30	47 × 20	21 × 40

Le coin du chercheur

Utilise les nombres 25 ; 10 ; 4 ; 7 et les signes + ; − ; × pour trouver le nombre 184.

Compétences : Reconnaître des situations additives ou soustractives.
Maîtriser les techniques opératoires de l'addition et de la soustraction.

Calcul mental

Somme de deux nombres de deux chiffres.

45 + 63, ...

Lire, débattre

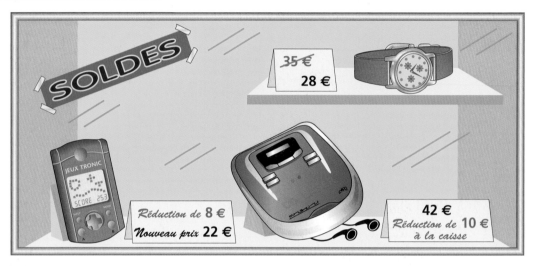

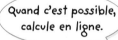

● Observe ces étiquettes. Que peux-tu calculer ?

Chercher

Un grand magasin établit le bilan des ventes de jouets des deux années précédentes.

A Observe et recopie le tableau.

B Recherche d'abord quelles cases sont à barrer.

Quand c'est possible, calcule en ligne.

C Complète les autres cases.

D Quel est le jouet dont l'augmentation des ventes est la plus importante ?

Jouets	2005	2008	Augmentation	Diminution
Poupées	23 450	19 600	✕	3 850
Voitures téléguidées	17 420	19 450		
Ours en peluche	13 800		2 600	
Jeux de société	31 700			5 460
Jeux vidéo		88 860	25 430	
Maquettes		16 825		850
Rollers	7 200	7 200		

Mémo

Pour éviter les erreurs, dispose correctement les nombres.
Tu peux vérifier l'exactitude d'une soustraction en effectuant une addition.

1 304 − 509 = 795   car   795 + 509 = 1 304

m	c	d	u
1	3	0	4
−	5	0	9
	7	9	5

S'exercer, résoudre

Banque d'exercices et de problèmes n°s 13 à 15 p. 42 et p. 43.

1) Calcule.

a. 2 534 + 89 + 806 | c. 6 204 – 289

b. 17 890 + 982 | d. 45 870 – 7 568

2) Complète les opérations suivantes.

a.
```
  * * 9 *
+   7 * 5
---------
  4 5 1 5
```

b.
```
    9 6 * 4
  – * * 5 *
-----------
    5 4 9 2
```

3) Calcule sans poser l'opération.

a. Lydie a 24 ans. Elle a 5 ans de plus que sa cousine Éva.
Quel est l'âge d'Éva ?

b. Dans la journée, Thomas a gagné 14 billes. Il en a 52 maintenant.
Combien de billes avait-il ce matin ?

c. Au début du printemps, une marmotte pèse 5 250 g. Elle a perdu 1 350 g de graisse pendant l'hiver.
Combien pesait-elle au début de l'hiver ?

4) Dans ce carré magique, les sommes des nombres d'une même ligne ainsi que celles d'une même colonne sont égales.
Reproduis-le et complète-le.

56	34	12	94
46	…	70	…
84	22	…	58
…	68	…	…

5) Rémy relève tous les soirs le kilométrage de son véhicule de livraison.
Dimanche : 36 750 km ; lundi : 37 320 km ; mardi : 38 179 km.
Mercredi, il parcourt 285 km.

a. Qu'indique son compteur mercredi soir ?

b. Quel jour a-t-il parcouru la plus grande distance ?

c. Calcule, de deux façons différentes, la distance parcourue pendant les trois premiers jours de la semaine.

6) Le responsable du Club des jeunes a reçu ce devis pour un équipement vidéo.

a. Quel est le prix de tous les appareils ?

b. Quel est le prix de la parabole ?

Articles	Prix
Téléviseur	1 320 €
Caméscope	735 €
Parabole	.... €
Ordinateur	2 150 €
Total	.... €
Mise en service	150 €
Total à payer	4 655 €

7) Adrien possède 90 € et sa sœur Coralie 15 € de moins que lui.
Peuvent-ils acheter en commun ce lecteur de DVD et deux DVD ?

142 €

29 € Les deux DVD

Réinvestissement

Trace :
– en rouge, deux droites perpendiculaires ;
– en bleu, deux droites parallèles.

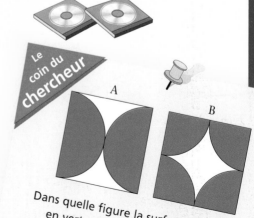

Le coin du chercheur

A

B

Dans quelle figure la surface coloriée en vert est-elle la plus grande ?

5 Trouver l'ordre de grandeur

Compétence : Savoir arrondir un nombre pour évaluer un ordre de grandeur.

Lire, débattre

Les chevaux de la race Shire
Avec un poids d'environ 1 000 kg et une taille tournant autour de 1 m 70, ce doux géant a longtemps été apprécié pour sa force et son endurance. Les chevaliers du Moyen Âge l'enfourchaient après avoir mis leur armure.

● Quels mots indiquent que la masse et la taille de ce cheval sont exprimées par des nombres approchés ?

● Trouve d'autres exemples dans la vie courante où les nombres sont arrondis.

Chercher

Sonia souhaite suivre un stage d'équitation de trois semaines.
Voici les trois propositions qu'elle a reçues.

Comment calculer facilement la proposition :
– la moins chère ?
– la plus chère ?

Savoie

Cotisation ____ 79 €
Cours ____ 296 €
Hébergement 187 €
Repas ____ 108 €

AUVERGNE

Assurance Cotisation 98 €
Cours et équipement 312 €
Pension complète 404 €

Club Hippique des Vosges

Licence..........102 €
Cours.............306 €
Chambre.......112 €
Repas............186 €

J'arrondis à la dizaine la plus proche :
80 + 300 + ...
Cela fait environ : ...

Moi, j'arrondis à la centaine la plus proche :
100 + 300 + ...

A Complète les calculs de Sonia et Thomas, puis réponds aux questions.

B Quel est le procédé le plus rapide ? Quel est le plus précis ?

Mémo

Arrondir 2 738 :

• à la dizaine la plus proche **> 2 740**

2 730   2 735   **2 740**
2 738

• à la centaine la plus proche **> 2 700**

2 700   2 750   2 800
2 738

• au millier le plus proche : **3 000**

2 000   2 500   **3 000**
2 738

S'exercer, résoudre

Banque d'exercices et de problèmes nᵒˢ 16 à 18 p. 43.

1) Recopie et complète le tableau.

	Arrondi au millier le plus proche	Arrondi à la centaine la plus proche	Arrondi à la dizaine la plus proche
6 831			
5 187			
9 997			
84 196			

2) Sans poser les opérations, trouve le nombre le plus proche du résultat.

a. 1 738 + 287 > 5 000 1 800 2 000

b. 1 592 − 603 > 800 1 000 900

c. 892 + 413 + 288 > 1 600 1 400 1 500

d. 2 587 − 1 203 > 1 300 1 400 1 500

3) Sans poser les opérations, trouve celles qui sont certainement fausses.

a. 1 547 + 327 = 1 674

b. 782 − 124 = 658

c. 384 + 258 = 642

d. 2 951 − 547 = 1 234

e. 24 589 + 237 = 26 226

f. 495 × 21 = 1 395

4) Quel paquet est le plus intéressant à l'achat ? Pourquoi ?

7,90 € 4,5 kg   5 kg 8 €

5) Romain veut installer des étagères dans son atelier. Il lui faut une planche de 2 m 65 cm et une autre de 1 m 15 cm.

a. Parmi les planches vendues au rayon bois du supermarché, lesquelles doit-il choisir ?

b. Combien paiera-t-il ?

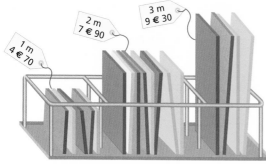

1 m 4 € 70
2 m 7 € 90
3 m 9 € 30

6) Charlotte aimerait bien acheter un cédérom qui coûte 32 € et deux cassettes vidéo à 12 € 90 l'une. Elle possède un billet de 50 €.
« Tu n'as pas assez d'argent », lui dit son amie Mélanie.
Mélanie a-t-elle raison ?
(Réponds sans poser les opérations.)

7) Sans poser l'opération, trouve le prix d'un litre d'huile d'olive, arrondi à l'euro supérieur.

24 € 50
Le bidon de
5 litres

Calcul réfléchi

Observe : 24 × 3 = 72   24 × 30 = 720

Calcule.

a. 17 × 4
   17 × 40

b. 64 × 3
   64 × 30

c. 32 × 6
   32 × 60

d. 23 × 5
   23 × 50

e. 52 × 4
   52 × 40

f. 47 × 2
   47 × 20

Le coin du chercheur

Ajoute 5 à ce nombre en déplaçant une seule allumette.

6 Les grands nombres

Compétences : Lire, écrire et décomposer les grands nombres.

Calcul mental

Tables de 3, 6, 9.

5×6 ; 7×9, ...

Lire, débattre

Les ancêtres de l'Homme

La Terre s'est formée il y a 4 600 000 000 d'années
(4 milliards 600 millions d'années).

Les dinosaures, apparus il y a 250 millions
d'années, ont disparu il y a 65 millions d'années ;
mais on ignore encore les véritables causes de leur
disparition.

La présence de l'Homme sur la Terre remonte
environ à 2 000 000 d'années. Le plus vieil euro-
péen, l'Homme de Tautavel, vivait il y a 450 000 ans.
L'« Homo sapiens », ou « Homme moderne », est
apparu il y a seulement 35 000 ans. C'est lui qui
a peint les fresques de la grotte de Lascaux (détail
ci-contre).

● **Les premiers hommes ont-ils pu rencontrer
des dinosaures ?**

Chercher

Manon se documente sur les origines des êtres vivants. Elle a noté ces événements que les scientifiques
situent approximativement aux dates qui figurent dans le tableau.

	Âge de la Terre	4 600 000 000
	Apparition de la vie	3 000 000 000
	Premiers Poissons	450 000 000
	Premiers Insectes	330 000 000
	Premiers Mammifères	200 000 000
	Premiers Oiseaux	150 000 000
A	Ancêtres communs aux grands Singes et à l'Homme	12 000 000
B	Premiers Hommes	2 000 000
C	Domestication du feu	800 000
D	Premier européen : homme de Tautavel	450 000
E	Homo sapiens	35 000

A Écris en lettres l'âge de la Terre, la date
d'apparition des premiers Oiseaux,
des premiers Hommes.

B Recopie et complète :
4 600 000 000 = (4 × ......) + (600 × ......)
                = ... milliards ...... millions
                = ... millions

4 500 000 = (4 × ......) + (500 × ......)
          = ... millions ...... mille
          = ... milliers

C Reproduis l'échelle du temps sur ton cahier
(1 MA = 1 million d'années).
Places-y les événements des cases vertes
(A, B, C, D, E) du tableau.

12 MA   10 MA   8 MA   6 MA   4 MA   2 MA   0 MA

← **Vers le passé**   **Aujourd'hui** ↑

Mémo

milliards	millions	mille	unités
1 2	5 3 0	6 0 0	0 0 0
	4 2	7 8 6	5 0 0

12 milliards 530 millions 600 mille

42 millions 786 mille 500

Milliards et millions sont des noms, ils prennent un « s » au pluriel : trois milliard**s** douze million**s**.
Mille est un adjectif numéral invariable : cinq mille.

S'exercer, résoudre

Banque d'exercices et de problèmes nᵒˢ 19 à 24 p. 43.

1) Écris ces nombres en chiffres.
- quinze millions quatre cent cinquante mille
- sept cent millions trois cent mille cinq cents
- deux millions soixante-douze
- trois milliards neuf cents millions

2) Écris ces nombres en lettres.
- 690 000 000
- 83 500 000
- 5 052 000 500
- 90 425 200

3) Observe l'exemple, puis recopie et complète le tableau.

25 080 700	(25 × 1 000 000) + (80 × 1 000) + 700
......	(709 × 1 000 000) + (125 × 1 000) + 400
65 060 500	......
......	(12 × 1 000 000 000) + (28 × 1 000 000) + (70 × 1 000)
......	(40 × 1 000 000) + (960 × 1000) + 80

4) En 2003, 6 134 610 personnes ont visité la tour Eiffel.
Depuis sa construction, elle a reçu 210 515 762 visiteurs.

a. Quel est le nombre de millions de visiteurs depuis sa construction ?

b. Quel est le nombre de milliers de visiteurs en 2003 ?

Un kilomètre carré (1 km²), c'est la surface d'un carré de 1 km de côté.

5) Observe le tableau ci-contre.

a. À l'aide de la droite graduée, range les superficies des cinq continents de la plus petite à la plus grande.

b. Quelle est la superficie totale de ces cinq continents ?

EUROPE	10 200 000 km²
AFRIQUE	30 300 000 km²
ASIE	43 550 000 km²
AMÉRIQUE	39 436 000 km²
OCÉANIE	8 900 000 km²

```
|....|....|....|....|....|....|....|....|....|
0    5    10   15   20   25   30   35   40   millions
                                              de km²
```

6) « Ma grand-mère est âgée d'un million de jours ! »
annonce Aïcha.

a. Est-ce possible ?

b. Quel âge aurait la grand-mère d'Aïcha ?

1 an, c'est 365 jours.
3 ans, c'est environ
1 000 jours.

Réinvestissement

Dans quels cas les droites sont-elles perpendiculaires ?

 a. b. c. d.

Le coin du chercheur

« J'ai six fils, dit monsieur Lapin.
Chacun d'eux a une sœur.
Combien ai-je d'enfants ? »

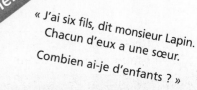

7

Calcul réfléchi : calculer un produit

Compétences : Calculer en ligne un produit de deux nombres.
Préparer l'algorithme de la multiplication posée

Calcul mental

Tables de 5, 10, 7.
$8 \times 7, \dots$

Comprendre et choisir

A Le directeur de la médiathèque a commandé 28 livres au format poche à 7 € l'exemplaire et 35 DVD à 14 € l'un.
Combien a-t-il payé ?

● Observe les calculs de Clara et de Julien.

> Je calcule le prix des livres :
> $28 = 20 + 8$
> $28 \times 7 = (20 \times 7) + (8 \times 7)$
> $28 \times 7 = \dots$

> Et moi,
> je calcule le prix des DVD !
> $35 = 30 + 5$
> $35 \times 14 = (30 \times 14) + (5 \times 14)$
> or $5 \times 14 = (5 \times 10) + (5 \times 4)$
> donc $35 \times 14 = \dots$

> Une autre façon de calculer :
> $14 = 10 + 4$
> $35 \times 14 = (35 \times 10) + (35 \times 4)$

> Tu peux écrire les résultats des calculs intermédiaires, mais tu ne dois pas poser les opérations.

● Termine les calculs des deux enfants, puis rédige la réponse.

B Calcule de deux façons différentes le produit 16×23 .

S'exercer, résoudre

1) Calcule les produits suivants sans poser les opérations.
17×3 ; 24×8 ; 6×42 ; 75×8

2) Calcule les produits suivants sans poser les opérations.
26×12 ; 34×21 ; 58×42

3) Le cœur de Jean-Paul bat 65 fois par minute.
Combien de fois bat-il en une heure ?

4) Aurore a acheté un scooter à crédit. Elle paie chaque mois 230 € pendant un an.
Quel est le prix du scooter ?

5) Quel est le nombre de centaines dans 8 500 ?
Paul a parcouru 8 500 km avec sa voiture qui consomme 7 L d'essence aux 100 km.
Tony a parcouru le même trajet avec son 4 × 4 qui consomme 13 litres aux 100 km.
Quelle est la consommation de chaque véhicule ?

Mémo

Pour calculer un produit, il est souvent commode de décomposer l'un des nombres en dizaines entières.
Observe l'exemple ci-contre.

$27 \times 15 = (20 \times 15) + (7 \times 15) = 300 + (7 \times 15)$
$7 \times 15 = (7 \times 10) + (7 \times 5) = 70 + 35$
$7 \times 15 = 105$
$27 \times 15 = 300 + 105 = 405$

8 La multiplication posée

Compétence : Consolider la maîtrise de la multiplication posée.

Comprendre et choisir

Justine est danseuse. Pour s'entraîner, elle effectue chaque matin 32 pirouettes.

● Combien de pirouettes effectue-t-elle dans l'année ?

Et moi, je pose l'opération.
2 fois 5 égale 10 ;
je pose 0 et je retiens 1 ;
2 fois 6 ...

$$
\begin{array}{r}
3\ 6\ 5 \\
\times\ \ \ \ 3\ 2 \\
\hline
.\ \ .\ \ 0 \\
.\ \ .\ \ .\ \ .\ \ . \\
\hline
.\ \ .\ \ .\ \ .\ \ . \\
\end{array}
$$

Je calcule comme dans la leçon précédente.
365 × 32 = (365 × 30) + (365 × 2)
365 × 30 = (365 × 3) × 10 = 10 950
365 × 2 = 730
365 × 32 = 10 950 + 730 = ...

● Termine les calculs.

S'exercer, résoudre

1) Calcule en posant les opérations.
75 × 32   ;   86 × 43   ;   78 × 94

2) Calcule en posant les opérations.
215 × 24   ;   489 × 57   ;   175 × 64

3) Si Justine la danseuse s'entraîne une année bissextile, combien de pirouettes effectue-t-elle ?

Pas de chance, je suis né une année bissextile et mon anniversaire est tous les 4 ans !

4) Charlotte veut planter 27 rangées de 19 tulipes jaunes dans un premier massif, et 32 rangées de 26 tulipes orange dans un second massif.
Combien de bulbes de tulipes doit-elle acheter pour fleurir les deux massifs de son jardin ?

Réinvestissement

Trace un segment AB.
Marque son milieu K.
Trace la perpendiculaire à AB passant par le point K.
Marque un point C sur cette perpendiculaire.
Trace le triangle ABC.

Que peux-tu en dire ?

Le coin du chercheur

Dessine un triangle rouge et un triangle bleu.
Place les nombres de 1 à 6 aux sommets : la somme des nombres du triangle rouge doit être égale au double de la somme des nombres du triangle bleu.

9

Calcul instrumenté : utiliser la calculatrice

Compétence : Utiliser à bon escient sa calculatrice pour obtenir un résultat.

Lire, débattre

« Aujourd'hui, vous allez utiliser la calculatrice dans toute la leçon. »

Super !
Ma calculatrice est toujours plus rapide que moi pour calculer. Grâce à elle, je ne fais jamais d'erreur !

Pas si sûr !

Chercher

Observe le tableau des populations des douze pays entrés dans l'Union européenne depuis 2004.

République tchèque	10 224 000
Estonie	1 337 000
Chypre	691 500
Lettonie	2 341 000
Lituanie	3 437 000
Hongrie	10 098 000
Malte	407 500
Pologne	38 199 000
Slovénie	2 038 000
Slovaquie	5 386 000
Bulgarie	7 800 000
Roumanie	21 800 000

(Estimations Eurostat)

A Calcule la population totale des 12 pays entrés dans l'Union européenne depuis 2004 (en vert sur la carte).

B Arrondis les nombres du tableau au million le plus proche pour contrôler ton résultat par un calcul mental.

C Avant l'entrée des 12 nouveaux pays, la population des 15 pays membres de l'Union européenne (en jaune sur la carte) était 380 816 500.
Calcule la population des 27 pays de l'Union européenne.
– Qu'affiche ta calculatrice ? Pourquoi ?
– Trouve une démarche qui permet de calculer ce grand nombre à l'aide de la calculatrice.

Sais-tu que l'ordinateur est équipé d'une calculatrice classique ? Tu peux aussi utiliser un tableur pour calculer : Atelier informatique n°2, page 188.

Mémo

Le résultat affiché par la calculatrice est généralement correct s'il correspond à l'ordre de grandeur que tu as calculé mentalement.

Si les calculs dépassent la capacité d'affichage de la calculatrice, tape les nombres en milliers, puis, éventuellement, ajoute les unités.

S'exercer, résoudre

Banque d'exercices et de problèmes nᵒˢ 25 à 27 p. 44.

1) Quelles opérations est-il préférable d'effectuer mentalement ? Écris les résultats. Utilise ta calculatrice pour effectuer les autres opérations.
a. 658 489 + 9 125 964 + 348 + 6 259
b. 4 528 − 4 525
c. 8 000 000 × 3
d. 259 105 × 957
e. 500 000 : 2

2) Effectue ces opérations avec la calculatrice. Vérifie l'ordre de grandeur du résultat par un calcul mental.
a. 385 964 × 12
b. 8 194 + 921 + 3 654 + 12 850
c. 958 428 − 126 408
d. 67 128 648 + 31 905 621
e. 905 114 × 3

3) Pense à un nombre. Avec la calculatrice, multiplie-le par 12, puis ajoute 1 469 425, retranche 300 000, ajoute 3 256, retranche un million, retranche encore 172 681, divise-le ensuite par 6 et calcule la moitié du résultat obtenu.

Quel nombre trouves-tu ?

4) Pour chacun des problèmes ci-dessous, la calculatrice affiche **un résultat incorrect**. Corrige-le et indique s'il s'agit d'une erreur de raisonnement ou d'une erreur de frappe.

a. Une grande chaîne de télévision française diffuse 42 minutes de publicité entre 19 h et 22 h 30. Le tarif moyen est 3 000 € la seconde.
Combien d'euros cette diffusion de spots publicitaires rapporte-t-elle à la chaîne ?
Affichage : 126 000 .

b. En 2003, 3 520 000 touristes ont visité le Mont-Saint-Michel, tandis que le parc du château de Versailles accueillait 7 000 000 visiteurs.
Calcule la différence de fréquentation.
Affichage : 3 380 000 .

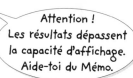

5) Effectue ces opérations à l'aide de la calculatrice.
a. 126 942 000 − 18 345 000
b. 69 852 961 + 57 205 369
c. 25 129 743 × 4
d. 23 560 × 8 320

*Attention !
Les résultats dépassent
la capacité d'affichage.
Aide-toi du Mémo.*

6) Les fourmis, présentes depuis plus de 100 millions d'années, constituent un bel exemple d'adaptation à la vie terrestre. Elles sont des millions de milliards d'individus.
En France, dans le Jura, se trouve une colonie gigantesque de 1 200 fourmilières reliées par 100 km de pistes.
Dans une seule fourmilière, on compte, en moyenne, 250 000 fourmis.

Calcule la population totale de cette colonie.

Le coin du **chercheur**

Dessine un rectangle qui puisse être découpé en deux carrés en donnant un seul coup de ciseaux.

Calcul réfléchi

Observe : 35 × 11 = (35 × 10) + (35 × 1) = 350 + 35 = 385

Effectue sans poser les opérations.
a. 23 × 11   b. 84 × 11   c. 78 × 11
   63 × 11   52 × 11   45 × 11

10 Mesure des longueurs (1)

Compétence : Connaître les unités de longueur. Ajouter des longueurs.

Lire, débattre

La Course du Rhum relie Saint-Malo, en Bretagne, à Pointe-à-Pitre, en Guadeloupe.

Pour remporter cette course, Ellen Mac Arthur a parcouru 3 540 milles, soit environ 6 550 km, en 13 j 13 h 31 min 47 s.

Son voilier mesure 60 pieds de long (soit 18 m 28 cm) et 5 m 30 cm de large, pèse 9 000 kg et porte 439 m² de voilure. Pour cette traversée, elle a emporté 380 L d'eau douce.

- Relève les unités de longueur utilisées dans ce texte.
  En connais-tu d'autres ?

Chercher

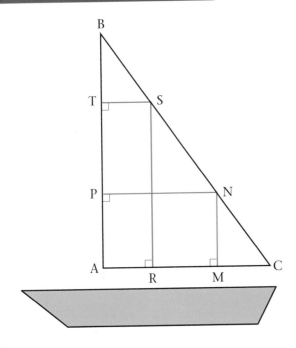

A Sur une feuille de papier uni, utilise ton équerre et ta règle graduée pour tracer un triangle rectangle ABC, qui représente une voile de bateau :
– l'angle droit est en A ;
– le côté AB mesure 8 cm ;
– le côté AC mesure 6 cm.

B Place sur AC un point M et un point R, puis complète le dessin comme le modèle ci-contre.

C Mesure la longueur de la ligne brisée CMNPB.

D Mesure la longueur de la ligne brisée CRSTB.

E Que remarques-tu ? Cherche une explication.

Mémo

Équivalences

1 km = 1 000 m   1 m = 100 cm = 1 000 mm

1 dm = 10 cm = 100 mm   1 cm = 10 mm

Pour ajouter ou comparer des mesures de longueur, tu dois d'abord les exprimer avec la même unité.

158 mm + 7 cm = 158 mm + 70 mm = 228 mm = 22 cm 8 mm

S'exercer, résoudre

Banque d'exercices et de problèmes nos 28 à 30 p. 43.

1) a. Exprime ces longueurs en **m** : 14 km ; 6 km 350 m ; 3 km 50 m ; 600 cm ; 12 000 mm.

b. Exprime ces longueurs en **cm** : 300 mm ; 14 m ; 5 dm ; 3 m 5 cm.

2) Sur un catalogue, les dimensions d'un meuble de rangement sont données de la manière suivante : L/H/P : 107 × 79 × 50 cm.

a. Ce meuble mesure-t-il plus de 1 m de long ?
Plus de 1 m de haut ?

b. Écris sa profondeur en mm.

3) Thomas fait des pas de 50 cm. Pour mesurer la cour, il trouve 84 pas sur la longueur et 66 pas sur la largeur.

Quelles sont, en **m**, les dimensions de la cour ?

4) Attribue son diamètre à chaque balle et ballon. Range-les du plus petit au plus grand.

football	handball	basket-ball	tennis	ping-pong
①	②	③	④	⑤

Diamètres
• 1 dm 8 cm 4 mm
• 3 cm 8 mm
• 248 mm
• 2 dm 16 mm
• 64 mm

5) Sur une feuille de papier uni, reproduis cette figure ; les côtés du rectangle mesurent 3 cm et 5 cm.

Une fourmi effectue 4 tours du circuit ABECDEA.

Quelle distance, en cm et mm, parcourt-elle ?

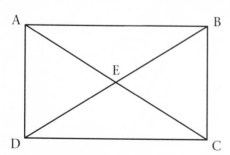

6) Le marathon est une course à pied qui mesure 42 km 195 m. Les organisateurs d'un semi-marathon (ou demi-marathon) annoncent une longueur de 21,1 km.

Justifie leur proposition.

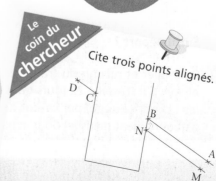

Et ils appellent ça un demi-marathon !

Calcul réfléchi

Observe :

moitié de 170 = moitié de 160 + moitié de 10
moitié de 170 = 80 + 5 = 85

Calcule la moitié de :
90 ; 230 ; 250 ; 350 ; 330

Le coin du **chercheur**

Cite trois points alignés.

Compétences : Passer du pavé à son patron et réciproquement.
Connaître le vocabulaire relatif aux pavés et aux cubes.

Lire, débattre

Observe ces dés.

● Lesquels conviennent pour jouer aux dés ?

● Peux-tu expliquer pourquoi ?

Je peux tricher avec les dés noirs !

Chercher

A Prends une boîte en carton en forme de pavé droit.
Écris les noms des sommets sur chaque face comme sur le modèle.
Combien trouves-tu :
– de sommets ?
– de faces ?
– d'arêtes ?
À combien de faces appartient une arête ?

B Trace un patron de ce pavé sur une feuille cartonnée
en faisant rouler la boîte face après face comme
le montre le schéma ci-contre.
Pour ne pas reproduire deux fois la même face,
écris le même numéro sur la face du solide
et sur celle du patron que tu traces.

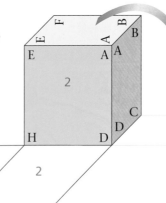

C Compare ton patron avec ceux de tes camarades.
Un pavé droit a-t-il un seul patron ? Quelle est la forme de ses faces ?

D Fais le même travail avec un cube. A-t-il un seul patron ? Quelle est la forme de ses faces ?
Avec les patrons que tu viens de dessiner, construis le pavé droit et le cube correspondants.

Mémo

Les **cubes** et les **pavés droits** ont :

• 6 faces carrées ou rectangulaires ;

• 8 sommets ;

• 12 arêtes ;

• plusieurs patrons.

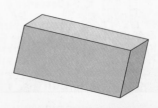

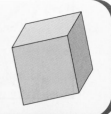

S'exercer, résoudre

Banque d'exercices et de problèmes n° 31 p. 44.

1) Observe les patrons ci-contre.

a. Lesquels conviennent pour construire un pavé droit ?

b. Reproduis et complète le tableau.

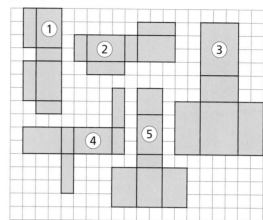

	patron ①	patron ②	patron ③	patron ④	patron ⑤
Nombre de faces	correct				
Place des faces	erreur				
Longueur des arêtes	correct				
Le patron convient	**non**				

2) a. Termine le patron de ce pavé droit. Les dimensions des faces tracées te donnent les dimensions des autres faces.

b. Colorie de la même couleur les faces opposées.

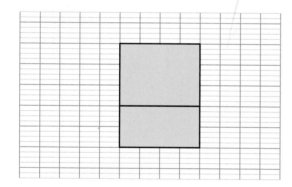

3) Reproduis ces dessins sur ton cahier.

a. Colorie de la même couleur les faces opposées.

b. Calcule la somme des points qui figurent sur les faces opposées. Que constates-tu ? Vérifie avec un dé à jouer.

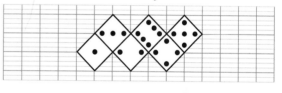

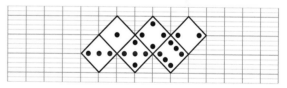

4) Voici le dessin d'une boîte et celui de son patron.

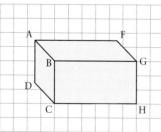

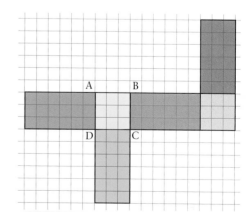

Reproduis le dessin de la boîte et colorie les faces visibles selon les couleurs du patron.

Calcul réfléchi

Complète les soustractions.

$$\begin{array}{r} 9\,●\,4\,8 \\ -\ \ 7\,●\,4 \\ \hline ●\,5\,1\,4 \end{array} \qquad \begin{array}{r} 5\,1\,●\,● \\ -\ ●\,9\,7 \\ \hline ●\,4\,5\,8 \end{array} \qquad \begin{array}{r} 6\,0\,6\,0 \\ -\ ●\,7\,● \\ \hline ●\,8\,●\,1 \end{array}$$

Le coin du chercheur

L'octogone rouge a-t-il un périmètre plus grand que celui du carré ?

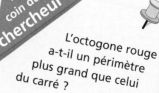

13 La multiplication posée : cas particuliers

Compétence : Consolider la maîtrise de la multiplication posée :
nombres terminés par des zéros et avec zéro intermédiaire.

Lire, débattre

● Chang lance un défi à Magali.

Peux-tu effectuer la multiplication $1\,800 × 360$?

Je ne sais pas faire ; il y a trop de zéros !

Pourtant il suffit de multiplier deux petits nombres.

Chercher

A Recopie, puis complète les calculs.

$1\,800 × 360$

$(18 × 100) × (36 × 10)$

$(18 × 36) × (…)$

B Recopie, puis complète les calculs.

```
      1 8 0 0
  ×     3 6 0
      . . 8
      . . 0
    . . . 0 0 0
```

C Maintenant, Magali lance à son tour un défi à Chang.

Et toi, sais-tu effectuer l'opération $54 × 205$?

Chang pose alors deux opérations :

```
      5 4            2 0 5
  × 2 0 5          ×   5 4
```

Quelle est la multiplication la plus simple à effectuer ?
Pose-la et effectue-la.

D Calcule les produits $\boxed{508 × 72}$ et $\boxed{5\,300 × 500}$.

Mémo

Dans tous les cas, j'évite de multiplier par zéro.

$140 × 800 = (14 × 8) × (10 × 100)$
$140 × 800 = (14 × 8) × 1\,000$
$140 × 800 = 112 × 1\,000 = 112\,000$

```
  3 0 9
×   2 5
```
est plus facile à effectuer que
```
    2 5
× 3 0 9
```

S'exercer, résoudre

Banque d'exercices et de problèmes n°s 32 à 35 p. 44.

1) Calcule sans poser les opérations.

14 × 50	24 × 60	60 × 4 200	50 × 7 000
80 × 600	720 × 30	330 × 400	600 × 250

2) Calcule en posant les opérations.

56 × 308   78 × 604   39 × 407

3) Observe cette égalité : 430 × 28 = 12 040.
Sans poser les opérations, calcule les produits ci-dessous.

4 300 × 28   43 × 28   430 × 280   43 × 280

4) Chacun de ces produits est égal à l'un des nombres écrits en bleu situés sur la même ligne.
Écris les égalités correspondantes.

a. 408 × 64	261 142	26 112	2 612
b. 180 × 410	738 000	7 380	73 800
c. 915 × 208	1 903 200	190 320	19 032

5) Julie, élève de CM2, lit 208 mots par minute.

a. Combien de mots lit-elle en 14 minutes ?

b. Combien de mots lit-elle en 20 minutes ?

6) Au Grand Prix d'Espagne de *Formule 1*,
les pilotes doivent parcourir 65 tours
d'un circuit de 4 730 m.

a. Quelle est, en mètres, la distance totale à parcourir ?

b. Exprime cette distance en kilomètres.

7) Une secrétaire de mairie achète 82 timbres à 50 c,
40 timbres à 46 c et 306 timbres à 84 c. Elle paie
avec un billet de 500 €.

Combien doit-on lui rendre ?

Réinvestissement
Reproduis et
complète le dessin
pour obtenir
le patron d'un
parallélépipède
rectangle.

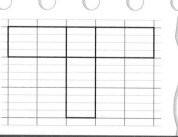

Le coin du **chercheur**

Dessine un carré et ses diagonales.
Place les nombres de 1 à 5
aux sommets du carré et
à l'intersection des diagonales.
La somme des nombres situés sur chaque
diagonale doit être la même.

14

Les grands nombres en astronomie

Compétences : Arrondir, trouver l'ordre de grandeur
Approfondir les acquis sur les grands nombres.

Calcul mental

Somme de dizaines, de centaines entières.

120 + 90, ...

Lire, débattre

Notre planète, la Terre, appartient au système solaire représenté ci-dessous.

● Penses-tu que les distances soient respectées sur le dessin ?

Chercher

Le rayon, c'est bien la moitié du diamètre ?

A – Quelle est la planète la plus proche du Soleil ?
– Utilise le dessin pour compléter le tableau.
– Quelle est la planète la plus grosse ? Calcule son rayon.

B Écris en chiffres puis en lettres la distance de la Terre au Soleil et de Neptune au Soleil.

C Arrondis au millier de **km** le plus proche le diamètre de Vénus, puis celui de la Terre.

D Quelles planètes sont à plus d'un milliard de kilomètres du Soleil ?

Planètes de notre système solaire	Distance au Soleil (millions de km)	Diamètre de la planète (en km)
	58	4 850
	108	12 400
	150	12 756
	228	6 800
Jupiter	778	142 800
	1 427	120 800
	2 870	47 600
	4 500	44 600

Mémo

Arrondir 5 732 600 :

• au millier le plus proche ❯ 5 733 000

5 732 000   5 732 500   **5 732 600**   5 733 000

• à la centaine de milliers la plus proche ❯ 5 700 000

5 700 000   **5 732 600**   5 750 000   5 800 000

• au million le plus proche ❯ 6 000 000

5 000 000   5 500 000   **5 732 600**   6 000 000

S'exercer, résoudre

1) **a.** Range les planètes de la plus petite à la plus grosse.

b. Arrondis au millier de km le plus proche le diamètre de chacune des planètes du système solaire.

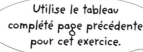
Utilise le tableau complété page précédente pour cet exercice.

c. La distance de Mars au Soleil est-elle égale à environ 2, 4, ou 10 fois la distance de Mercure au Soleil ?

2) **a.** Calcule le rayon de la Lune.

b. Arrondis ce résultat à la centaine de km la plus proche.

> **Nom :** Lune
> **Caractéristique :** seul satellite naturel de la Terre
> **Distance moyenne à la Terre :** 384 000 km
> **Diamètre :** 3 480 km
> **Masse :** environ 100 fois plus petite que celle de la Terre
> **Premier contact avec l'Homme :** Neil Armstrong le 21 juillet 1969

3) Voici Europe, un satellite de Jupiter, photographiée par la sonde Galiléo.

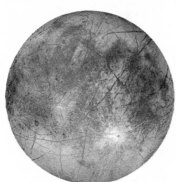

Europe est recouverte d'une couche de glace de 3 à 5 km d'épaisseur. Si un océan liquide se cache sous sa surface gelée, la vie pourrait être apparue progressivement autour d'orifices volcaniques au fond de l'eau, comme cela s'est produit pour la Terre.

> **Diamètre :** 3 130 km
> **Distance à Jupiter :** 9,40 rayons de Jupiter

a. Pourquoi les savants s'intéressent-ils particulièrement à Europe ?

b. Utilise les données de la page précédente et vérifie si Europe se situe bien à environ 680 000 km, 250 000 km ou 1 000 000 km de Jupiter.

4) Dans le système solaire, les distances sont mesurées en unité astronomique (U.A).
Une unité astronomique est égale à la distance Terre-Soleil, soit 150 000 000 km.

a. Une unité astronomique est-elle supérieure à un milliard de kilomètres ?

b. Saturne est située à environ 10 fois la distance Terre-Soleil. Écris cette distance en U.A.

c. La distance Saturne-Soleil est-elle supérieure à 1 milliard de km ?

Calcul réfléchi

Observe : 47 + 25 = 40 + 20 + 7 + 5 = 60 + 12 = 72

Calcule.

28 + 33   ;   52 + 28   ;   37 + 26   ;   49 + 26

Le coin du **chercheur**

Parmi les nombres de zéro à cent quels sont les trois premiers par ordre alphabétique ?

Compétence : Trouver l'opération.

Comprendre

130 fourmis doivent transporter 1 040 graines jusqu'à leur fourmilière. Chaque fourmi porte une seule graine par voyage.

● Combien de voyages effectuera-t-elle ?

Je ne sais pas quelle opération faire !

C'est facile !
Pour trouver l'opération, remplace les grands nombres par des nombres plus petits.

Par exemple, remplace dans l'énoncé 130 par 4 et 1 040 par 20. Relis l'énoncé avec ces nombres.

● Quelle opération dois-tu effectuer ? Résous le problème.

S'exercer, résoudre

1) Après la fête de l'école, 38 enfants doivent rapporter 266 ballons lestés en ne prenant qu'un ballon chaque fois.

Combien de voyages effectueront-ils ?

N'oublie pas de transformer les grands nombres pour trouver les opérations à effectuer. Ensuite, tu peux utiliser ta calculatrice.

2) Un baleineau pèse 2 800 kg : c'est 42 fois moins que sa mère.

Combien pèse la mère ?

3) Chaque mois, le baleineau rorqual absorbe environ 2 700 L de lait. De sa naissance à la fin de son sevrage, il a absorbé environ 190 000 L de lait.

Combien de mois a duré cette période ?

4) Une grande péniche transporte 2 400 tonnes de sable. En une année, elle a effectué 30 voyages.

Quelle masse de sable a-t-elle transportée ?

Mémo

En remplaçant les grands nombres de l'énoncé par des nombres plus petits, tu peux trouver plus facilement l'**opération** à effectuer.

Compétence : Élaborer une démarche personnelle pour résoudre des problèmes.

Chercher, argumenter

● **À toi de chercher seul ou avec ton équipe.**

> Un pain, un croissant et une tartelette coûtent 3 €,
> un pain et un croissant 1 € 30,
> une tartelette et un croissant 2 € 20.
>
> Calcule le prix d'un pain, d'un croissant et d'une tartelette.

● **Observe maintenant le travail de l'équipe de Djibril, puis celui de l'équipe de Noémie.**

Équipe de Djibril

...... €

...... €

Prix d'un pain : .... – ....
= .... €

Prix d'un croissant : .... €
Prix d'une tartelette : .... €

Équipe de Noémie

Pour calculer, nous avons choisi :
(1 pain + 1 croissant) + (1 tartelette +
1 croissant)
Ce qui fait au total : .... €

Comme le pain, le croissant
et la tartelette valent .... €,
un croissant coûte :
.... – .... = ... €

Le prix d'une tartelette est : .... €
Le prix d'un pain est : .... €

a. Explique le raisonnement de l'équipe de Djibril à tes camarades. Reproduis et complète leur fiche de recherche.
Fais de même pour le travail de l'équipe de Noémie.

b. As-tu calculé comme eux ? As-tu trouvé les mêmes réponses ?

S'exercer, résoudre

Banque d'exercices et de problèmes n° 36 p. 44.

1) Combien pèse :

– une banane ?

– une poire ?

– une pomme ?

 400 g

 550 g

 600 g

2) Quel est le prix :

– d'un bonbon ?

– d'un chocolat glacé ?

– d'une barre de chocolat ?

 2 € 10

 1 € 90

2 € 90

Mobilise tes connaissances!

La fusée Ariane

Nous avons visité la base de Kourou en Guyane et assisté au lancement de la fusée Ariane 5 qui a embarqué la sonde *Rosetta* le 3 mars 2004. Cette sonde doit atteindre la comète Gerasimenko en 2014 après avoir parcouru plus de 5 milliards de km.

Observe les documents que nous avons rapportés. Cherche les informations utiles et aide-nous à répondre aux questions que nous nous posons.

La sonde *Rosetta* va-t-elle parcourir une distance plus grande que celle de la Terre au Soleil (150 millions de km) ?

Combien de poudre les deux boosters consomment-ils en 140 s ?

Quelle hauteur maximale le deuxième étage peut-il avoir ?

Quelle est la masse totale des sources d'énergie (hydrogène, oxygène, poudre, propergols) contenues dans la fusée ?

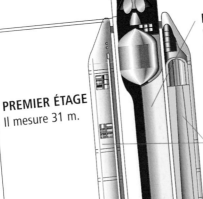

DEUXIEME ÉTAGE

Il contient 9 700 kg de propergols assurant la phase finale du lancement.

Coiffe

Satellite* ou sonde*

Réservoirs
Ils contiennent 26 tonnes d'hydrogène liquide et 148 tonnes d'oxygène liquide

PREMIER ÉTAGE
Il mesure 31 m.

Boosters* à poudre
Ils consomment 3 380 kg de poudre à la seconde. Ils fonctionnent 140 s puis sont largués dans l'océan.

Moteur Vulcain

* **Booster :** fusée auxiliaire utilisée pour le lancement.
* **Satellite :** objet naturel ou artificiel qui tourne autour d'une planète.
* **Sonde :** engin d'exploration spatiale non habité.

- La hauteur totale de la fusée Ariane dépend du nombre et de la taille des satellites qu'elle doit emporter. Elle peut mesurer entre 50 et 58 m.

- C'est le premier étage qui fournit la poussée nécessaire au décollage. Les deux boosters à poudre assurent l'essentiel de la poussée, puis ils sont largués dans l'Atlantique. La fusée est alors à 67 km d'altitude.

- Le moteur Vulcain fonctionne encore environ 8 minutes, puis il est largué à son tour.

- Le deuxième étage assure alors la mise sur orbite des satellites.

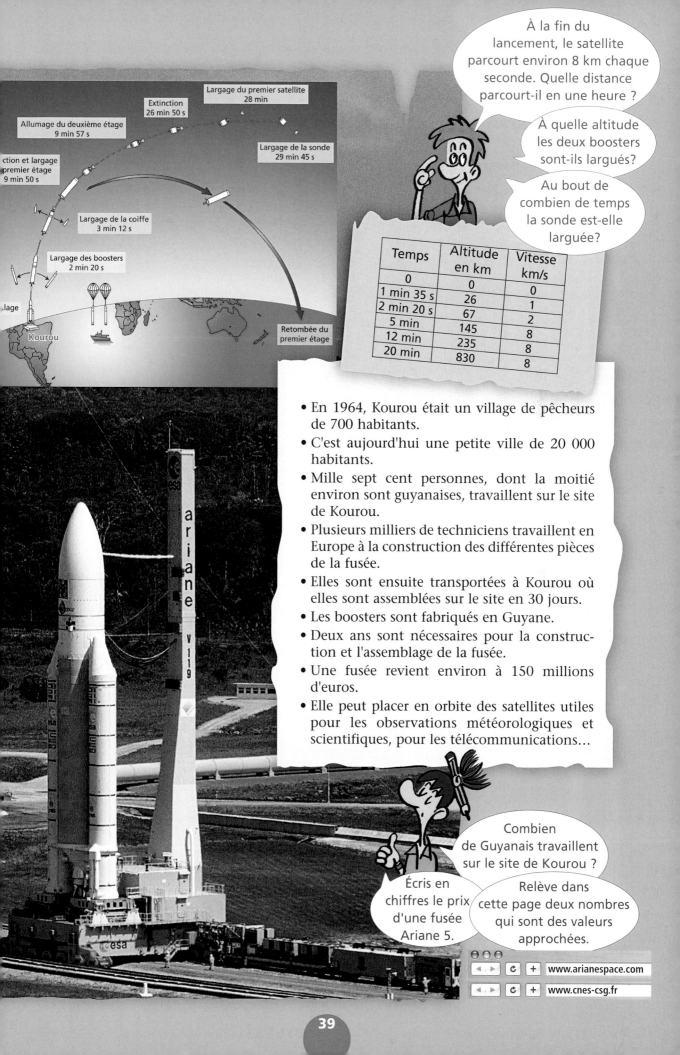

À la fin du lancement, le satellite parcourt environ 8 km chaque seconde. Quelle distance parcourt-il en une heure ?

À quelle altitude les deux boosters sont-ils largués?

Au bout de combien de temps la sonde est-elle larguée?

Largage du premier satellite
28 min

Extinction
26 min 50 s

Allumage du deuxième étage
9 min 57 s

Largage de la sonde
29 min 45 s

...ction et largage premier étage
9 min 50 s

Largage de la coiffe
3 min 12 s

Largage des boosters
2 min 20 s

...lage

Kourou

Retombée du premier étage

Temps	Altitude en km	Vitesse km/s
0	0	0
1 min 35 s	26	1
2 min 20 s	67	2
5 min	145	8
12 min	235	8
20 min	830	8

- En 1964, Kourou était un village de pêcheurs de 700 habitants.
- C'est aujourd'hui une petite ville de 20 000 habitants.
- Mille sept cent personnes, dont la moitié environ sont guyanaises, travaillent sur le site de Kourou.
- Plusieurs milliers de techniciens travaillent en Europe à la construction des différentes pièces de la fusée.
- Elles sont ensuite transportées à Kourou où elles sont assemblées sur le site en 30 jours.
- Les boosters sont fabriqués en Guyane.
- Deux ans sont nécessaires pour la construction et l'assemblage de la fusée.
- Une fusée revient environ à 150 millions d'euros.
- Elle peut placer en orbite des satellites utiles pour les observations météorologiques et scientifiques, pour les télécommunications...

Combien de Guyanais travaillent sur le site de Kourou ?

Écris en chiffres le prix d'une fusée Ariane 5.

Relève dans cette page deux nombres qui sont des valeurs approchées.

www.arianespace.com

www.cnes-csg.fr

Nombres

- Connaître, savoir écrire et nommer, comparer, ranger, encadrer les nombres entiers naturels.
- Estimer un ordre de grandeur.

		A	B	C	Aide
1	Écris en lettres : 705 019	sept cent cinq mille dix-neuf	sept cent cinq dix-neuf	sept cent mille dix-neuf	**Leçon 1** Mémo (p. 10) Exercices 2, 5, 6 (p. 11)
2	$(5 \times 100\ 000) + (9 \times 10\ 000) + (8 \times 10) = \ldots$	590 080	598 000	590 800	
3	Écris le nombre précédent de 1 000 000.	9 999 999	999 999	990 999	
4	Quel est le nombre N ? 129 000 129 500 N	130 000	129 505	129 900	**Leçon 2** Exercice 5 (p. 13)
5	Écris en chiffres : neuf millions cinquante mille	9 050	9 000 050	9 050 000	**Leçon 6** Mémo (p. 20) Exercices 1, 4, 5 (p. 21)
6	Quelle est la valeur du chiffre 4 dans 14 502 367 ?	milliers	millions	milliards	
7	Quel est le nombre de milliers dans 15 010 258 ?	15	1 501	15 010	
8	Range par ordre croissant : 1 734 545 ; 10 909 130 ; 610 067 ; 1 857 834	610 067 1 734 545 1 857 834 10 909 130	1 734 545 10 909 130 610 067 1 857 834	610 067 1 857 834 1 734 545 10 909 130	
9	Arrondis 87 948 au millier le plus proche.	87 000	88 000	90 000	**Leçon 5** Mémo (p. 18) Exercices 1 et 2 (p. 19)
10	Écris une valeur approchée de : 8 235 + 12 502 + 298	20 000	21 000	22 000	

Grandeurs et mesures

- Connaître et utiliser les unités du système métrique pour les longueurs ainsi que leurs relations.

		A	B	C	Aide
11	Exprime en mètres : 16 km	160 m	1 600 m	16 000 m	
12	Exprime en centimètres : 1 m 5 cm	150 cm	105 cm	15 cm	
13	Exprime en kilomètres : 12 000 m	12 km	1 km 200 m	120 km	**Leçon 10** Mémo (p. 26) Exercices 1 et 5 (p. 27)
14	Lors d'une course pédestre, Jolan parcourt une première étape de 1 800 m avant 10 heures, puis une deuxième de 2 km 150 m avant midi et enfin une seule étape de 3 km 50 m. Quelle distance totale parcourt-il ?	7 000 m	7 450 m	5 380 m	

Calcul

- Additionner ou soustraire deux nombres entiers.
- Reconnaître et résoudre des situations additives ou soustractives.
- Multiplier deux nombres entiers.
- Utiliser sa calculatrice à bon escient.

		A	B	C	Aide
15	Pose et effectue : 74 725 + 15 275 + 1 089	91 089	91 079	81 089	**Leçon 4** Mémo (p. 16) Exercices 1 et 3 (p. 17)
16	Pose et effectue : 101 300 – 92 353	9 947	9 953	8 947	
17	À Paris, 278 personnes prennent l'avion qui assure le vol Paris-Dakar-Rio. À Dakar, 82 personnes descendent et 117 montent. Combien de passagers débarqueront à Rio ?	313	79	477	
18	Calcule : 175×100	1 750	17 500	175 000	**Leçon 2** Exercice 4 (p. 13)
19	Pose et effectue : 124×79	9 786	9 796	1 984	**Leçon 8** Exercice 2 (p. 23)
20	Utilise la calculatrice pour calculer : 208 859 000 – 199 590 800	9 268 200	Impossible	9 269 000	**Leçon 9** Mémo (p. 24)

Géométrie

- Vérifier le parallélisme et la perpendicularité.
- Reconnaître, décrire et nommer les solides droits : cube et pavé.

			A	B	C	Aide
21	Quelles droites sont parallèles ?		d_1 et d_2	d_1 et d_4	d_2 et d_3	**Leçon 3** Mémo (p. 14) Exercice 1 (p. 15)
22	Quelles droites sont perpendiculaires ?		d_1 et d_3	d_1 et d_4	d_2 et d_3	
23	Quel dessin est le patron d'un pavé ? ① ②		Le dessin ①	Le dessin ②	Les deux dessins.	**Leçon 12** Mémo (p. 30) Exercice 1 (p. 31),

Leçon 1

1 Écris les nombres de 1 000 en 1 000, de 111 500 à 98 500.

2 Écris les nombres de 10 000 en 10 000, de 81 000 à 201 000.

3 Complète les décompositions des nombres.

a. $50\ 035 = (5 \times 10\ 000) + (3 \times ......) + ...$

b. $...... = (4 \times 100\ 000) + (8 \times 1\ 000) + (9 \times 10) + 7$

c. $600\ 350 = (6 \times ......) + ...$

d. $...... = (9 \times 100\ 000) + (5 \times 1\ 000) + (8 \times 10)$

4 *Devinette*

Au nombre 475 592, j'ajoute une dizaine de mille, trois centaines et une dizaine.

a. Quel nombre ai-je obtenu ?

b. Quel nombre ai-je ajouté ?

Leçon 2

5 Observe l'exemple :

$48\ 975 = (489 \times 100) + 75)$;
$48\ 975$ c'est 489 centaines et 75 unités.

Quel est le nombre de centaines dans :
a. 60 038 ?   b. 100 530 ?   c. 4 830 ?

6 Recopie les nombres suivants, puis souligne en bleu le chiffre des centaines et entoure en rouge le nombre de centaines.

a. 4 536 ;   b. 897 ;   c. 147 059 ;   d. 600 050

7 Recopie, puis complète les égalités.

$574 \times 10 = ...$

$368 \times 1\ 000 = ...$

$175 \times 1\ 000 = ...$

$............ \times 100 = 92\ 000$

$1\ 000 \times .... = 418\ 000$

$............ \times 10 = 245\ 000$

8 Une jardinerie a reçu un lot de 100 cyprès identiques plantés en pot.
Le montant total de cet achat est 4 700 €.

a. Quel est le prix d'achat d'un cyprès ?

b. Combien faut-il vendre chaque cyprès pour gagner en tout 1 800 € ?

Leçon 3

9 a. Place ta règle le long de la droite d, puis fais glisser l'équerre en contact avec la règle pour trouver les droites perpendiculaires à la droite d.

Quelles sont ces droites ?

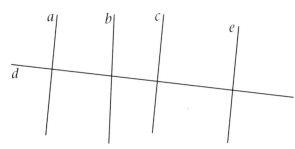

b. Que peux-tu dire des droites perpendiculaires à la droite d ?

10 Sur ton cahier, trace à main levée deux droites parallèles en bleu, puis deux droites perpendiculaires en rouge.

11 Trace une bande de 3 cm de large sur une feuille de papier uni.

12 Trace deux demi-droites à partir du même point O.
Place un point B sur l'une et un point D sur l'autre.
Marque le milieu A du segment OB et le milieu C du segment OD.
Trace les droites AC et BD.

Que peux-tu dire de ces droites ?

Leçon 4

13 Le fleuve Amazone a une longueur de 7 025 km. Il mesure 354 km de plus que le Nil.

Quelle est la longueur du Nil ?

14 Éloïse possède 759 timbres français et 1 065 timbres étrangers. Sa collection comprend 382 timbres de moins que l'an dernier.

Combien de timbres possédait-elle l'an dernier ?

15 Les États-Unis d'Amérique possèdent 3 115 km de frontière avec le Mexique et 8 892 km de frontière avec le Canada, dont 2 477 km en Alaska.

Quelle est la longueur totale des frontières des États-Unis ?

Leçon 5

16 Arrondis le nombre 4 738 :

a. à la dizaine la plus proche ;

b. à la centaine la plus proche ;

c. au millier le plus proche.

17 Sans poser les opérations, trouve l'ordre de grandeur du résultat.

a. 4 975 + 870 + 10 080

      14 000   16 000   18 000

b. 3 851 + 192

      2 000   3 000   4 000

c. 514 × 19

      8 000   9 000   10 000

18 Le vol *Apollo 11* a débuté le 16/07/69 à 12 h 07 heure française.

La cabine lunaire (*Lunar Module*) s'est posée sur la Lune le 20/07/69.

Le lendemain, pour la première fois, à 3 h 56, l'astronaute américain Neil Armstrong a marché sur la Lune et a prononcé ces paroles historiques :

« *C'est un petit pas pour l'homme, mais un pas de géant pour l'humanité.* »

Évalue la durée du trajet Terre-Lune.

Est-ce environ : 3 jours ? 4 jours ? 4 jours et demi ? 5 jours et demi ? 1 mois ?

Leçon 6

19 a. Écris en chiffres :

quatre millions soixante-quinze mille

sept millions cinq mille

trente milliards six cents millions

b. Écris en lettres :

130 800 000   6 000 000 000

690 000 500   70 000 900 000

20 Complète.

a. 8 900 000 = (8 × ...) + (900 × ...) ;

   8 900 000 c'est ... millions et ... milliers.

b. 8 900 000 = (8 900 × 1 000) ;

   8 900 000 c'est ... milliers.

21 Complète les décompositions des nombres.

a. 17 150 800 = (17 × 1 000 000)

             + (150 × ......) + (8 × ......)

b. 350 090 000 = ...

c. ...... = (93 × 1 000 000) + (108 × 1 000) + (9 × 100)

22 Dans chacun des nombres suivants :

2 151 000 ; 154 600 000 ; 310 700 000,

a. quel est le chiffre des millions ?

b. quel est le nombre de millions ?

23 Lors du recensement de 2000, la Bretagne comptait 2 906 000 habitants. Parmi ces habitants, un sur cent était étranger.

a. Quel est le nombre de centaines dans 2 906 000 ?

b. Combien d'étrangers résidaient en Bretagne en 2000 ?

24 La population de Rio de Janeiro, au Brésil, est passée de 43 000 habitants en 1800 à 811 000 en 1900. En 2000, cette ville comptait 10 600 000 habitants.

Quelle est l'augmentation du nombre d'habitants de Rio de Janeiro entre :

a. 1800 et 1900 ?

b. 1900 et 2000 ?

c. 1800 et 2000 ?

Banque d'exercices et de problèmes *(1)*

Leçon 9

25 Effectue ces calculs.

À côté du résultat, note « **M** » si tu as calculé mentalement ou « **C** » si tu as utilisé la calculatrice.

a. 989 + 11 + 1 001 + 999

b. 456 579 – 65 984

c. 24 589 + 4 000

d. 405 × 100

26 Tape cette suite d'opérations :

$$4 \times 793 \times 9 \times 25 + 5.$$

Retourne ensuite ta calculatrice ; tu peux lire le nom d'un astre généreux.

Quel est-il ?

27 La superficie totale de la Terre mesure 510 065 000 km². Les océans et les glaces recouvrent 376 445 000 km².

Calcule la superficie des terres émergées.

Leçon 10

28 Convertis en **m**.

16 km ; 3 km 500 m ; 900 cm ; 8 000 mm.

29 Calcule.

2 m 5 cm + 800 mm + 42 cm 5 mm.

30 Le tressage d'une semelle d'espadrille nécessite 5 m de corde. Chaque année, on fabrique 20 millions de paires d'espadrilles.

Combien de kilomètres de corde utilise-t-on ?

Leçon 12

31 Reproduis ce dessin et termine-le pour obtenir le patron d'un cube.

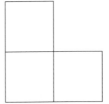

Leçon 13

32 Calcule sans poser les opérations.

a. 28 × 50 ; **b.** 40 × 600 ; **c.** 205 × 30

d. 30 × 1 200 ; **e.** 125 × 400 ; **f.** 200 × 150

33 Le satellite SPOT est placé en orbite autour de la Terre.

Il en fait le tour en 1 h 40 min.

Convertis cette durée en secondes.
(1 h = 60 min ; 1 min = 60 s.)

34 En un bond, une grenouille peut sauter 36 fois sa propre longueur.

Si un garçon mesurant 155 cm pouvait en faire autant, serait-il capable de traverser en un seul bond le terrain de football large de 50 mètres ?

35 Le 27 août 1883, un garde-côte de Madagascar a entendu un grondement. C'était l'explosion du volcan Krakatoa qui avait eu lieu quatre heures auparavant dans les îles de la Sonde.

Le son parcourt 330 mètres par seconde.

À quelle distance du volcan ce garde-côte se trouvait-il ?

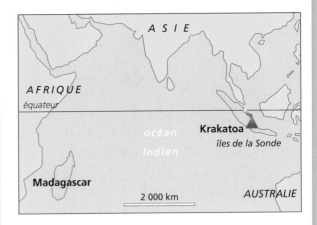

Leçon 16

36 Un dictionnaire, un CD et un stylo coûtent 40 €.

Le dictionnaire et le CD coûtent 32 € ; le CD et le stylo coûtent 21 €.

Quel est le prix de chaque objet ?

Retrouve Mathéo la mascotte. Combien de fois la vois-tu ? Cherche dans le dessin des détails illustrant les notions étudiées dans la période.

Période 2

	Leçons		Leçons
• Reconnaître et résoudre des situations multiplicatives et de division.	18	• Reconnaître et utiliser les fractions.	25, 27, 28, 31, 32, 33
• Effectuer des divisions.	19, 20, 22, 23	• Mesurer des aires.	24
• Reproduire des figures.	21	• Utiliser la calculatrice.	26
• Identifier les quadrilatères.	29	• Résoudre un problème.	30, 34, 35

Calcul
mental

Ajouter ou retrancher 9.
126 – 9, …

Lire, débattre

La pesanteur n'est pas la même sur les différentes planètes. Par exemple, tu pèserais 6 fois moins sur la Lune que sur la Terre, mais 3 fois plus sur Jupiter !

Moi, je pèse 30 kg sur Terre. Comment calculer mon poids sur la Lune et sur Jupiter ?

Sur Jupiter, faudrait pas qu'il me marche sur les pieds !

Chercher

A Lis les énoncés des problèmes.

1 Kamel possède une collection de 56 photos de footballeurs, celle de Tony en compte 4 fois moins.
Combien de photos Tony possède-t-il ?

2 Adrien avait 56 voitures miniatures. Il achète 4 pochettes de 6 voitures chacune.
Combien de voitures a-t-il maintenant ?

3 Myriam range ses 58 timbres de collection. Elle en place 4 par page.
Quel est le nombre de pages pleines ?
Combien de pages utilisera-t-elle pour ranger tous ses timbres ?

4 Rachel possède 56 poupées. Elle en pose le même nombre sur chacune des 4 étagères de sa vitrine.
Quel est le nombre de poupées sur chaque étagère ?

a. Lesquels résous-tu en effectuant une multiplication ? Une division ? Plusieurs opérations ?

b. Calcule, puis rédige les réponses. Écris tes calculs sous la forme :
$$\ldots \times \ldots = \ldots \quad \text{ou} \quad (\ldots \times \ldots) + \ldots = \ldots$$

Mémo

Pour résoudre une situation multiplicative ou de division, tu dois connaître les tables de multiplication.

S'exercer, résoudre

Banque d'exercices et de problèmes nos 1 à 4 p. 78.

1) Lis les énoncés des problèmes.

❶ La mamie de Jonathan a 92 ans. Jonathan est 4 fois moins âgé que sa mamie.

Quel est l'âge de Jonathan ?

❷ Monica et Myriam collectionnent les petits flacons de parfum.
Monica en possède 18. Elle en a 4 fois moins que Myriam.

Combien de flacons Myriam possède-t-elle ?

❸ Au supermarché, la responsable du rayon boissons déballe 12 cartons de 24 bouteilles de jus d'orange et 5 cartons de 12 bouteilles de jus de pomme.

Combien de bouteilles place-t-elle sur les étagères ?

❹ La maîtresse distribue équitablement 150 feuilles de papier à dessin aux 25 élèves de la classe.

Quel est le nombre de feuilles reçues par chaque élève ?

a. Dans quels problèmes devras-tu effectuer une division ? Une multiplication ?

b. Calcule, puis rédige les réponses.

2) 590 supporters se répartissent dans des cars de 56 places chacun.
Combien de cars seront nécessaires : 10, 11 ou 12 ?
Justifie ta réponse.

3) La fermière range 126 œufs dans des boîtes de 12.
Pour ranger tous ses œufs, lui faut-il 9, 10 ou 11 boîtes ?
Justifie ta réponse.

4) La piste de ce stade mesure 400 m. Les arrivées sont toujours jugées sur la ligne A.

a. D'où partent les coureurs qui courent 100 m ? 200 m ?

b. D'autres courent le 1 000 m.
Combien de tours complets vont-ils parcourir ?
De quelle ligne partent-ils ?

c. Enfin, d'autres coureurs doivent parcourir 5 000 m.
Combien de tours complets vont-ils parcourir ?
De quelle ligne partent-ils ?

Les coureurs tournent toujours dans le sens ABCDA.

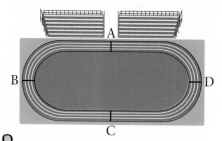

Réinvestissement

L'arête d'un cube mesure 4 cm 5 mm.

Quelle est la longueur totale des arêtes ?

Le coin du chercheur

Lorsque trois droites se coupent deux à deux, combien peut-on avoir de points d'intersection en tout ?

19 Calcul réfléchi : diviser par un nombre d'un chiffre

Ajouter ou retrancher 8, 9, 11 ou 12.
302 – 8, ...

Compétence : Utiliser les multiples d'un nombre pour résoudre des problèmes de partage.

Comprendre et choisir

A C'est la fête du sport. 96 enfants se sont inscrits au tournoi de handball.

a. Combien d'équipes de 7 joueurs les organisateurs peuvent-ils former ?

b. Les enfants qui restent seront arbitres. Quel sera alors le nombre d'arbitres ?

● Observe, puis explique les décompositions de Karim et de Lilou.

● Termine leurs calculs. Écris la réponse sous la forme : $96 = (7 \times ...) + ...$

> Je décompose 96 en multiples de 7 :
> $96 = 70 + 21 + 5$
> $70 = 7 \times ...$
> $21 = 7 \times ...$
> Je peux former...
> Il reste...

Karim

> $96 = 70 + 26$
> $70 = 7 \times 10$
> Je peux former 10 équipes.
> Il reste...

Lilou

> Es-tu sûre que tu ne peux pas former davantage d'équipes ?

B Résous le même problème avec 109 inscrits au tournoi de basket, à répartir en équipes de 5. Tu ne dois pas poser les opérations. Pour t'aider, tu peux écrire les résultats intermédiaires que tu as trouvés mentalement.

S'exercer, résoudre

Banque d'exercices et de problèmes nos 5 à 7 p. 7

1) Cherche le plus grand multiple de 5 inférieur à 51 ; à 69 ; à 121.
Utilise ces résultats pour compléter les égalités suivantes :

a. $51 = (5 \times ...) + ...$

b. $69 = (5 \times ...) + ...$

c. $121 = (5 \times ...) + ...$

2) Cherche le plus grand multiple de 8 inférieur à 60 ; à 100 ; à 165.
Utilise ces résultats pour compléter les égalités suivantes :

a. $60 = (8 \times ...) + ...$

b. $100 = (8 \times ...) + ...$

c. $165 = (8 \times ...) + ...$

3) Encadre 146 entre deux multiples consécutifs de 10 :
$... \times 10 \ < \ 146 \ < \ ... \times 10$

puis entre deux multiples de 9 :
$... \times 9 \ < \ 146 \ < \ ... \times 9$

4) La bibliothécaire dispose de 150 €.
Combien peut-elle acheter de livres à 7 € ?

5) 113 joueuses sont inscrites au tournoi de volley-ball qui se joue en équipes de 6.

a. Combien d'équipes peut-on former ?

b. Combien de joueuses ne peuvent pas faire partie d'une équipe ?

c. Combien d'animatrices doivent se joindre à ces joueuses pour que toutes les inscrites puissent jouer ?

Mémo

Le plus grand multiple de 7 inférieur à 82 est 77.

$7 \times 11 = 77$
$7 \times 12 = 84$
$77 < 82 < 84$

Compétence : Utiliser l'algorithme de la division par un nombre d'un chiffre.

Calcul
mental

Retrancher deux nombres proches.

127 – 119, ...

Comprendre et choisir

A Éric, le boulanger, a cuit 157 petits pains. Il demande à Sophie de les ranger par 6 dans des corbeilles.

Combien de corbeilles pleines obtient-elle ?
157 > 6 × 10 = 60 : « *Il faudra plus de 10 corbeilles* », dit Éric.
157 < 6 × 100 = 600 : « *Il en faudra moins de 100* », ajoute Sophie.

Le nombre de corbeilles s'écrit donc avec deux chiffres.

● Observe les calculs d'Éric et de Sophie.

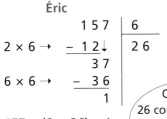

Éric
```
          1 5 7 | 6
2 × 6 →  – 1 2↓ | 2 6
            3 7
6 × 6 →   – 3 6
              1
```
157 = (6 × 26) + 1

On obtient 26 corbeilles pleines et il reste 1 petit pain !

Sophie
```
          1 5 7 | 6
2 × 6 →  – 1 2↓ | 2 5
            3 7
5 × 6 →   – 3 0
              7
```
157 = (6 × 25) + 7

Moi, je trouve 25 corbeilles pleines et il reste 7 petits pains !

● L'une des réponses est inexacte. Laquelle ? Pourquoi ?
Dans la division de 157 par 6, quel est le dividende ? Le diviseur ? Le quotient ? Le reste ?

B Éric a confectionné 148 œufs en chocolat et Sophie les met dans des sachets de 5.
Combien de sachets pleins obtient-elle ?

S'exercer, résoudre

Banque d'exercices et de problèmes nos 8 à 12 p. 78.

1) Effectue les divisions et écris les égalités correspondantes.
(Cherche d'abord le nombre de chiffres du quotient.)

```
98 | 4        809 | 5        614 | 3        212 | 7
```

98 = (4 × ...) + ... | 809 = (5 × ...) + ... | 614 = (3 × ...) + ... | 212 = (7 × ...) + ...

2) Le professeur de tennis partage 95 balles entre les 8 élèves de son cours.

a. Combien de balles chaque élève aura-t-il ?

b. Quelle égalité permet de donner la réponse à cette question ?
95 = (8 × 11) + 7   95 = (8 × 10) + 15

Rédige la réponse.

Mémo

```
dividende
    └──→  4 5 | 7  ←── diviseur      45 = (7 × 6) + 3
        – 4 2 | 6  ←── quotient            3 < 7
reste ──→ 3 |
```

Le reste est toujours inférieur au diviseur.

Le coin du **chercheur**

Lequel est le plus long : AB ou CD ?

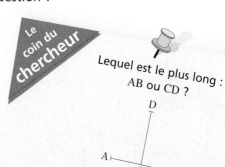

Compétence : Tracer une figure sur papier uni ou quadrillé à partir d'un modèle ou d'un dessin à main levée.

Lire, débattre

Observe ce tableau de Paul Klee et la mosaïque romaine.
Quelles figures géométriques les composent ?

Avec des figures géométriques simples on peut faire de belles choses !

Chercher

A Observe la figure.
Que signifient les signes bleus tracés sur le schéma ?

B Trouve un ordre de construction qui permet de reproduire facilement cette figure.
Compare-le à celui de tes camarades.

C Entraîne-toi à main levée sur du papier quadrillé, puis reproduis-la exactement sur du papier uni.
De quels instruments as-tu besoin ?

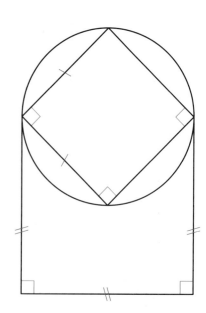

Mémo

Avant de reproduire une figure, étudie-la pour trouver par quel sommet ou par quelle partie tu dois commencer et quels instruments tu vas utiliser.

S'exercer, résoudre

Banque d'exercices et de problèmes nos 21 à 24 p. 79.

1) Janice a parcouru 32 km à vélo, Aïcha le double et Jeanne la moitié.
Quelle distance chacune d'elles a-t-elle parcourue ?

2) Le quart de 100 est-ce :

50 ?   104 ?   25 ?   400 ?

3) Myriam possède 36 euros, son grand frère Quentin le triple, son petit frère Thibault le tiers.
Quelle somme chacun d'eux possède-t-il ?

4) Pablo possède une collection de 120 timbres. Nico en a le quadruple,
Sandra le quart et Théo les trois quarts.
Combien de timbres chaque enfant possède-t-il ?

5) Louis possédait 60 €. Il vient d'en dépenser les deux tiers.
Combien d'argent lui reste-t-il ?

> *Pour calculer le tiers d'un nombre, je le divise par 3.*

6) Dans une classe de 24 élèves :
– le tiers a les yeux bleus ;
– la moitié déjeune au restaurant scolaire ;
– le quart porte des jupes.

a. Combien d'enfants ont les yeux bleus ?

b. Combien d'enfants déjeunent au restaurant scolaire ?

c. Combien de filles portent des jupes ?

7) César dit : « Pour préparer ma boisson favorite, je verse dans un verre un tiers de sirop
de sucre, un tiers de limonade, un tiers de jus d'orange et un tiers de jus de citron. »
– « Ce n'est pas possible ! » lui répond Marius.

Marius a-t-il raison ? Pourquoi ?

8) Quel est le prix du scooter ?

Quel est le montant de chaque mensualité ?

*Payez au comptant 500 €, soit le quart du prix
Le reste en 10 mensualités*

Réinvestissement

Reproduis cette figure.
Note O le point d'intersection des deux droites. Trace
la perpendiculaire à la droite *d* et qui passe par O.

d_1

d

Le coin du chercheur

On a disposé 12 allumettes et obtenu 5 carrés.
Combien de carrés obtiendrais-tu avec 20 allumettes ?

Compétence : Utiliser les parenthèses dans un calcul et les touches mémoire d'une calculatrice.

Lire, débattre

En calculant mentalement, je trouve 22.

Si j'utilise ma calculatrice, je trouve 70.

Qui se trompe : Marine ou Thomas ?

Chercher

A Trouve mentalement le résultat de (3 × 5) + (2 × 4).
Retrouve ce résultat avec ta calculatrice en utilisant les touches mémoire M+ et MRC.

B Le gérant de la laiterie calcule les quantités de lait qui restent le 21 novembre au soir.

Lait écrémé
Stock au 15 novembre
5 cuves de 10 000 L
Lait vendu
du 15/11 au 21/11
345 bidons de 15 L
13 875 bouteilles de 1 L

Lait bio
Stock au 15 novembre
2 cuves de 15 000 L
15 réservoirs de 120 L
Lait vendu
du 15/11 au 21/11
28 000 bouteilles de 1 L

Touches mémoire

M+ permet d'ajouter le nombre obtenu à la mémoire.

M− permet de retrancher le nombre obtenu à la mémoire.

MRC (ou MR) permet d'afficher le contenu de la mémoire.

Pour vider la mémoire, tape deux fois sur MRC, puis sur ON/C.

a. En utilisant les parenthèses, écris en ligne les opérations qui permettent de trouver les quantités de lait écrémé puis de lait bio restant en stock le 21 novembre.

b. Complète les programmes de calcul.

Lait écrémé : 5 × 10 000 M+ …

Lait bio : 2 × 15 000 M+ …

c. Effectue les calculs avec ta calculatrice, puis rédige les réponses.

Mémo

Les touches mémoire permettent d'ajouter ou de retrancher le résultat d'un calcul intermédiaire au contenu de la mémoire.

S'exercer, résoudre

Banque d'exercices et de problèmes nᵒˢ 25 et 26 p. 79.

1) **a.** Place des parenthèses pour trouver les résultats donnés.

$3 + 5 \times 20 = 103$ | $5 + 5 \times 5 = 50$ | $5 \times 4 - 8 \times 2 = 4$
$3 + 5 \times 20 = 160$ | $5 + 5 \times 5 = 30$ | $2 \times 4 + 3 \times 2 = 14$

b. Vérifie avec la calculatrice.

2) Pour chaque programme, trouve le calcul et le résultat qui conviennent.

43 ⨯ 25 M+ 11 ⨯ 35 M− MR •   • $(43 \times 25) + (11 + 35)$ •   • 1 121

43 − 25 M+ 11 ⨯ 35 M+ MR •   • $(43 - 25) + (11 \times 35)$ •   • 690

43 ⨯ 25 M+ 11 + 35 M+ MR •   • $(43 \times 25) - (11 \times 35)$ •   • 403

3) Complète les programmes de ces calculs, puis effectue-les avec la calculatrice. Note les résultats.

$(263 \times 36) + (208 \times 25) \quad \rightarrow \quad$ 263 ⨯ 36 M+ …

$(854 \times 63) - (278 \times 34) \quad \rightarrow \quad$ 854 ⨯ 63 M+ …

> N'oublie pas de vider le contenu de la mémoire après chaque exercice.

4) Effectue ces opérations en utilisant les touches mémoire.

a. $(358 \times 93) - (289 + 48)$

b. $(877 \times 89) + (63 \times 45)$

c. $(25 \times 105) - (62 \times 14)$

5) En utilisant les touches mémoire de la calculatrice, trouve directement le montant de cette facture.

Article	Référence	Quantité	Prix à l'unité
Boussole	2 45 36 M	15	17,00
Sifflet	698 520 S	5	4,75
Balise d'orientation	201 304 G	10	9,40
		Remise de 15 € sur le total	
		Total	…………

6) Pour décorer son studio, Nathalie achète 3 étagères à 19 € pièce, un coussin à 12 € et 4 rideaux à 29 € l'un.

Elle paie avec 4 billets de 50 €.

Combien la caissière lui rend-elle ?

Réinvestissement

Reproduis cette figure avec les instruments du dessin géométrique.

4 cm

4 cm

Le coin du chercheur

La fortune de Pikeuro double chaque jour. Aujourd'hui, il possède 12 000 écus d'or.

Combien en avait-il avant-hier ?

Compétences : Exprimer une aire par une fraction. Utiliser des fractions égales.
Ajouter deux fractions simples de même dénominateur.

Calcul mental

Tables de multiplication.
6 × 7, ...

Lire, débattre

Le tiers de mon drapeau est bleu.

Le quart du mien est vert.

La moitié du mien est rouge.

Groenland

Roumanie

Île Maurice

Nigeria

Autriche

Suède

● De quels pays viennent Peter, Vanessa et Iriouk ?

Chercher

Prends une feuille de papier uni. L'unité d'aire est l'aire de la feuille.

①

A Plie la feuille en quatre parties égales comme l'indique la figure ①.
Colorie l'une de ces parties en bleu.
À quelle fraction de la feuille correspond l'aire coloriée en bleu ?

B Plie maintenant cette feuille en huit parties égales (figure ②).
Colorie en jaune l'une de ces parties.

À quelle fraction correspond la partie coloriée en jaune ?
Combien de parties jaunes faut-il pour recouvrir la partie bleue ?

Complète l'égalité : $\dfrac{2}{8} = \dfrac{\cdots}{\cdots}$

②

Quelle fraction de la feuille est coloriée ? $\dfrac{1}{8} + \dfrac{2}{8} = \ldots$

C Prends une nouvelle feuille de même format. Plie-la selon le modèle (figure ③).
Quelle est l'aire de la partie coloriée en rouge ?

③

D Découpe les deux feuilles ② et ③ selon les plis, puis assemble les morceaux
pour construire les figures ⓐ, ⓑ et ⓒ.

– Quelle est l'aire de chacune d'elles ?

– Quelle figure a pour aire 1 ?

– Quelle figure a une aire supérieure à 1 ?

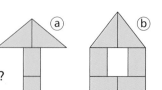 ⓐ   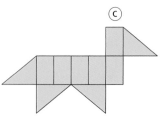 ⓑ   ⓒ

Mémo

Numérateur → $\dfrac{2}{8}$
Dénominateur →

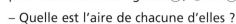

Unité

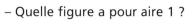

$\dfrac{2}{8} = \dfrac{1}{4}$

S'exercer, résoudre

Banque d'exercices et de problèmes nᵒˢ 27 et 28 p. 79 et p. 80.

1) L'unité d'aire est l'aire du carré bleu. Pour chacun des carrés A, B, C, D et E, écris une fraction correspondant à la partie coloriée, puis écris une seconde fraction correspondant à la partie non coloriée.

A   B   C   D   E

    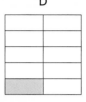 

2) L'unité d'aire est l'aire de la bande. Pour chacune des bandes A, B, C et D, écris deux fractions égales correspondant à la partie coloriée.

A

B

C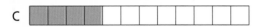

D

3) Complète les égalités.

 $\dfrac{2}{5} + \dfrac{1}{5} = \ldots$

$\dfrac{4}{6} + \dfrac{1}{6} = \ldots$

$\dfrac{1}{8} + \dfrac{3}{8} = \ldots$

 $\dfrac{3}{4} + \dfrac{2}{4} = \ldots$

4) Trace quatre bandes de 12 carreaux.

Colorie $\dfrac{1}{4}$ de la première en rouge,

$\dfrac{1}{6}$ de la deuxième en vert,

$\dfrac{1}{3}$ de la troisième en bleu

et $\dfrac{2}{3}$ de la quatrième en jaune.

5) Parmi ces fractions :

$$\dfrac{4}{5} \;;\; \dfrac{2}{2} \;;\; \dfrac{8}{10} \;;\; \dfrac{5}{3} \;;\; \dfrac{3}{2} \;;\; \dfrac{5}{5} \;;\; \dfrac{8}{4}$$

lesquelles sont :

a. plus petites que 1 ?

b. égales à 1 ?

c. plus grandes que 1 ?

6) À quelles fractions de la dalle bleue, prise pour unité, correspondent les rectangles A, B, C et D ?

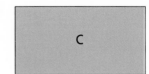

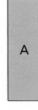

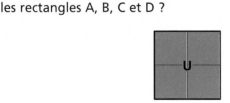

Réinvestissement

Reproduis cette figure avec les instruments du dessin géométrique.

Le coin du **chercheur**

Combien de petits cubes a-t-on utilisés pour réaliser ces deux tunnels ?

28 Fractions (2)

Compétences : Placer des fractions sur la droite numérique.
Extraire la partie entière. Comparer des fractions à l'unité.

Lire, débattre

Chercher

Au zoo, Émilie la vétérinaire a préparé les biberons pour les jeunes animaux.

A Attribue à chacun son biberon ; par exemple le chimpanzé reçoit le biberon C.

Dose par animal (en L)	Biberons
Chimpanzé : $\frac{1}{4}$	
Rhinocéros : $\frac{5}{4}$	
Zèbre : $\frac{2}{3}$	
Hippopotame : $\frac{6}{3}$	
Girafe : $1 + \frac{1}{4}$	
Éléphant : $2 + \frac{1}{4}$	
Chameau : $\frac{3}{3}$	

B Reproduis cette droite graduée. Places-y les lettres et les fractions correspondant aux biberons C, D et E. On a déjà placé la lettre A.

a. Parmi ces fractions, lesquelles sont plus grandes que 1 ?

b. Complète ces égalités : $\frac{5}{4} = 1 + ...$; $\frac{6}{3} = ...$

c. Parmi ces fractions, cites-en une supérieure à 1 et inférieure à 2 ?

Mémo

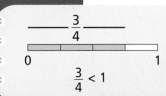
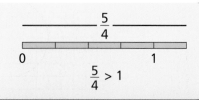

$\frac{3}{4} < 1$ $\quad$ $\frac{4}{4} = 1$ $\quad$ $\frac{5}{4} > 1$

S'exercer, résoudre

Banque d'exercices et de problèmes nᵒˢ 29 et 30 p. 80.

1) Exprime la longueur de chaque segment par une fraction.

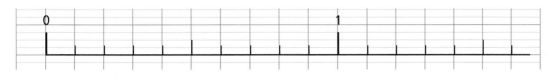

2) Reproduis cette droite graduée et places-y les fractions : $\frac{4}{10}$; $\frac{12}{10}$; $\frac{1}{2}$; $\frac{3}{2}$; $\frac{1}{5}$; $\frac{15}{10}$.

Deux de ces fractions sont égales. Lesquelles ?

3) Complète les égalités.

$\frac{8}{5} = 1 + ...$; $\frac{6}{3} = ...$; $\frac{8}{3} = ... + ...$; $1 + \frac{3}{4} = ...$; $2 + \frac{4}{5} = ...$; $3 + \frac{1}{3} = ...$

4) Complète les égalités.

$\frac{1}{2}$ h = ... min ; $\frac{1}{4}$ h = ... min ; $\frac{1}{3}$ h = ... min ; $\frac{3}{4}$ h = ... min ; 1 h $\frac{1}{2}$ = ... min

5) Encadre ces fractions entre deux entiers consécutifs selon l'exemple : $1 < \frac{3}{2} < 2$.

$\frac{9}{4}$; $\frac{2}{3}$; $\frac{7}{4}$; $\frac{8}{3}$; $\frac{11}{2}$

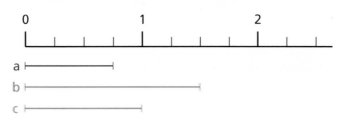

Pour les exercices 6 et 7, tu peux utiliser la droite graduée du premier exercice.

6) Noémie a invité six amies pour son anniversaire.

Sa maman prévoit $\frac{1}{4}$ de tarte pour chaque enfant.

a. Combien de tartes doit-elle préparer ?

b. Restera-t-il des parts ? Combien ?

7) Un malade prend $\frac{1}{2}$ comprimé à midi et $\frac{1}{4}$ de comprimé le soir.

Il part en voyage pour 4 jours.

Combien de comprimés doit-il emporter ?

Réinvestissement

Calcule l'aire de la figure coloriée.

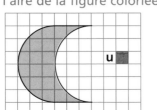

Le coin du chercheur

Quelle est la valeur de chaque symbole ?

Compétences : Distinguer les quadrilatères parmi les polygones, les classer et les construire.

Lire, débattre

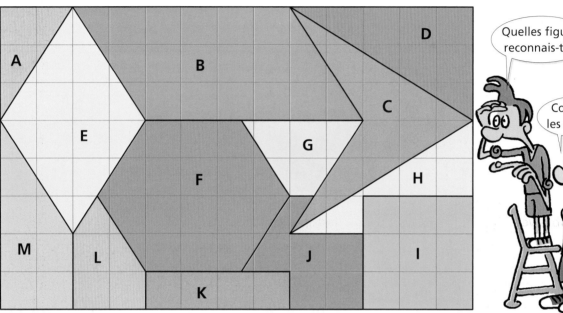

Quelles figures reconnais-tu ?

Comment les classer ?

Chercher

A Parmi les polygones du vitrail ci-dessus, quels sont les quadrilatères ?
Reproduis le tableau et complète-le.
Tu peux reproduire les figures ou les décalquer, les découper, les plier.

Quadrilatères	Nombre d'axes de symétrie	Nombre d'angles droits	Côtés opposés égaux	Diagonales égales	Diagonales perpendiculaires	Nom du quadrilatère
B	0	0	Oui	Non	Non	....
C	....	....	....	....	....	Cerf-volant

B Dessine à main levée deux quadrilatères de formes différentes qui possèdent des diagonales perpendiculaires.

C Dessine à main levée deux quadrilatères de formes différentes qui possèdent un seul axe de symétrie. Compare-les à ceux tracés par tes camarades.

Mémo

Les quadrilatères sont les polygones qui possèdent 4 côtés.

Ils ont aussi 4 sommets.

Ils possèdent 2 diagonales.

S'exercer, résoudre

Banque d'exercices et de problèmes n° 31 p. 80.

1) Donne le nom de chacun des quadrilatères qui composent la figure ci-dessous. Justifie chaque réponse par une propriété du quadrilatère.

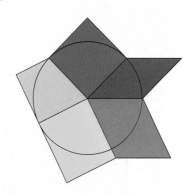

2) **a.** Dessine, d'abord à main levée, puis à l'aide des instruments de géométrie, un quadrilatère qui a 2 axes de symétrie et au moins 1 sommet sur un des axes de symétrie.

b. Compare ton quadrilatère à ceux dessinés par tes camarades.

3) Observe les polygones, puis réponds aux questions.

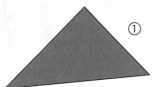 ①

 ②

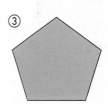 ③

a. Combien de diagonales possède chacun de ces polygones ?

b. Combien de diagonales possède un polygone qui a 6 côtés ? 7 côtés ?

4) On peut décomposer un quadrilatère en deux triangles.

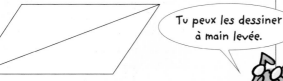

Tu peux les dessiner à main levée.

a. Trace un polygone de 5 côtés. Décompose-le en triangles de façon à en obtenir le plus petit nombre. Combien en trouves-tu ?

b. Combien de triangles obtiendrais-tu avec un polygone de 6 côtés ? De 8 côtés ?

5) **a.** Utilise un compas et une règle pour tracer un hexagone régulier.

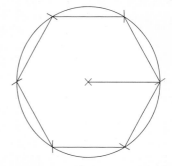

b. Trace un axe de symétrie pour obtenir deux quadrilatères.

Calcul réfléchi

Observe :
72 × 50 = moitié de 72 × 100 = 36 × 100 = 3 600
= 36 × 100 = 3 600

Calcule.

46 × 50	28 × 50	34 × 50	66 × 50
57 × 50	23 × 50	124 × 50	230 × 50

Le coin du chercheur

Quels dominos possèdent un seul axe de symétrie ?

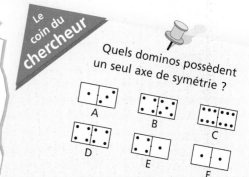

Compétence : Organiser des données pour résoudre un problème.

Lire, chercher

Le soir de la fête scolaire, le trésorier établit le bilan des recettes et des dépenses.
Il calcule ensuite le bénéfice.
Les responsables des stands lui ont donné leur compte rendu financier.

● Aide-le à organiser toutes ces informations.

Que c'est compliqué ! Et si on préparait un tableau ?

PÊCHE AU CANARD

tarif

Enfants ———— 50 c
Adultes ———— 80 c

Participants

62 enfants
74 adultes

Achat des lots : 28 €

Ventes de la Buvette

210 sodas à 1€50
130 glaces à 2€
145 gâteaux à 1€50
- - - - - - - - - -
Les gâteaux ont été offerts par les parents.

Jeu de Massacre

Participants

72 enfants à 1€
80 adultes à 1€50

J'ai payé :
20 lots à 3€ l'un
et 15 lots à 5€.

Loterie
Vendu 164 billets
à 50 c

HYPERMARCHÉ DUVAL
* * * * * * * * * * * * * * * * *

Achats :
240 SODAS à 0,40 €

Total à payer : 96 €

* * * Merci - À bientôt * * * * * *

FACTURE

n° 12568

150 glaces à 80 c
38 € pour les lots
de la loterie

La direction

BON POUR ACCORD

N° Siret : 150800 MMN

● Reproduis un tableau du modèle ci-dessous ; en effectuant les calculs intermédiaires, complète-le, puis calcule le bénéfice total de la fête.

Stands	Dépenses totales	Recettes totales	Bénéfice
Jeu de massacre			
....			
....			
Buvette			
Total			

S'exercer, résoudre

1) Le directeur du centre de loisirs organise les activités sportives de la semaine.

– Lundi, 24 enfants sont inscrits au basket, 19 en natation, 12 au tennis et 15 en équitation.

– Mardi, 18 s'inscrivent au basket, 28 en équitation, 30 en natation et 10 au tennis.

– Mercredi, 25 au basket, 13 en équitation, 20 en natation, 14 au tennis.

– Jeudi, 18 au basket, 15 en équitation, 10 au tennis.

– Vendredi, 21 au basket, 18 au tennis, 15 en équitation.

• Organise toutes ces données dans un tableau du modèle ci-dessous pour répondre aux questions **a.** et **b.**

	Basket	Équitation	
Lundi	24	…	
Mardi	…	…	

Réfléchis au nombre de lignes et de colonnes que tu dois tracer. N'oublie pas la colonne et la ligne pour indiquer le nombre total d'enfants.

a. Combien d'enfants participent aux différentes activités chaque jour de la semaine ?

b. Combien d'enfants ont joué au tennis dans la semaine ? Combien ont pratiqué la natation ?

2) Le tournoi interprofessionnel regroupe six équipes de la ville. Chacune d'elles doit rencontrer les cinq autres.

Un match gagné rapporte 3 points, un match nul 2 points et une défaite 1 point.

– Les commerçants ont remporté 2 matchs, en ont perdu 2 et ont fait 1 match nul ;

– les électriciens ont 1 victoire, 2 nuls, 2 défaites ;

– les enseignants 1 victoire, 2 défaites et 2 nuls ;

– les pompiers 3 victoires, 1 nul, 1 défaite ;

– les postiers 1 victoire, 3 nuls et 1 défaite ;

– les maçons 2 victoires, 1 nul et 2 défaites.

Combien de lignes et de colonnes ton tableau devra-t-il avoir ? N'oublie pas la colonne pour écrire le nombre de points.

a. Construis un tableau qui rassemble tous ces résultats pour calculer le nombre de points obtenus par chaque équipe.

b. Qui a remporté le tournoi ?

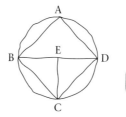

Pour organiser et traiter des données, tu peux utiliser un tableur : (Atelier informatique n°2, p. 188).

Le coin du chercheur

Louis, Ali, Coralie et Pauline ont placé chacun 4 flèches dans la cible.
« J'ai marqué 27 points », dit Louis, « moi 36 », dit Ali, « moi 37 », dit Coralie « et moi 32 », dit Pauline.
Qui s'est trompé ?

Réinvestissement

Reproduis cette figure avec les instruments de géométrie.

Nomme les deux pentagones (polygones à 5 côtés) qui se cachent dans cette figure.

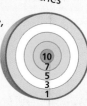

Compétences : Lire, écrire et décomposer une fraction décimale. Passer d'une écriture fractionnaire à une écriture à virgule et réciproquement (dixièmes seulement).

Calcul mental

Partie entière d'une fraction
$\frac{7}{3}$, ...

Lire, débattre

0,5 ou $\frac{1}{5}$ c'est pareil !

Pas si sûr ! Comment le vérifier ?

Pourquoi ne sont-ils jamais d'accord ces deux-là ?

Chercher

A Reproduis la droite et gradue-la en dixièmes jusqu'à $\frac{15}{10}$.

Place sur la droite les fractions suivantes : $\frac{3}{10}$; $\frac{5}{10}$; $\frac{10}{10}$; $\frac{13}{10}$; $\frac{15}{10}$.
Lesquelles sont supérieures à 1 ?

Les fractions qui ont pour dénominateur 10, 100… sont appelées fractions décimales.

B Tu as appris au CM1 que la **fraction décimale** $\frac{2}{10}$ est égale au **nombre décimal** 0,2.

Observe cette droite graduée ; elle te permet de trouver les égalités entre fractions décimales et nombres décimaux.

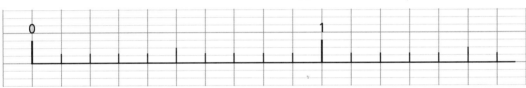

a. Complète les égalités : $\frac{5}{10} = 0,...$; $\frac{8}{10} = ...$; $\frac{1}{10} = ...$

$0,3 = \frac{...}{10}$; $0,7 = \frac{...}{...}$; $0,9 = \frac{...}{...}$

b. Complète les égalités selon l'exemple : $\frac{14}{10} = \frac{10}{10} + \frac{4}{10} = 1 + \frac{4}{10} = 1,4$

$\frac{27}{10} = ...$; $\frac{15}{10} = ...$; $\frac{145}{10} = ...$; $2,3 = ...$; $5,4 = ...$

Mémo

$\frac{3}{10} = 0,3$; $\frac{12}{10} = \frac{10}{10} + \frac{2}{10} = 1 + \frac{2}{10} = 1,2$

0,3 et **1,2** sont des **nombres décimaux**.

$\frac{3}{10}$; $\frac{12}{10}$ sont des **fractions décimales**.

1,2 se lit : « une unité deux dixièmes » ou « un virgule deux ».

S'exercer, résoudre

Banque d'exercices et de problèmes nos 32 et 33 p. 80.

1) Écris en chiffres les nombres décimaux suivants.
sept unités huit dixièmes   ;   neuf dixièmes   ;   douze unités deux dixièmes   ;   un dixième

2) Décompose les fractions selon l'exemple : $\frac{24}{10} = 2 + \frac{4}{10} = 2,4$

$\frac{45}{10}$ $\frac{20}{10}$ $\frac{60}{10}$ $\frac{56}{10}$ $\frac{85}{10}$ $\frac{125}{10}$

3) Écris la fraction et le nombre décimal correspondant à chaque lettre selon l'exemple.

$A \rightarrow \frac{4}{10} = 0,4$

4) Reproduis et complète le tableau selon l'exemple.

$\frac{13}{10}$	$\frac{25}{10}$	$\frac{8}{10}$	......	......	$\frac{124}{10}$	......
$1 + \frac{3}{10}$	......	......	$4 + \frac{6}{10}$	......	......	......
1,3	......	......	......	5,8	......	23,5

5) L'épaisseur de 10 fiches de papier Bristol mesure 3 mm. Écris l'épaisseur d'une feuille en **mm** :
– sous la forme d'une fraction ;
– sous la forme d'un nombre décimal.

6) **a.** Reproduis la droite graduée sur ton cahier et place les fractions : $\frac{1}{5}$; $\frac{2}{5}$; $\frac{4}{5}$ et $\frac{7}{5}$.

b. Gradue ensuite la même droite en $\frac{1}{10}$.

Place maintenant les fractions : $\frac{1}{10}$; $\frac{2}{10}$; $\frac{4}{10}$; $\frac{8}{10}$; $\frac{12}{10}$; $\frac{14}{10}$.

$\frac{1}{5} = \frac{2}{10} = 0,2.$

c. Observe, puis complète les égalités selon l'exemple : $\frac{2}{5} = \frac{4}{10} = 0,4$.

$\frac{4}{5} = ...$; $\frac{3}{5} = ...$; $\frac{6}{5} = ...$; $\frac{7}{5} = ...$

d. 0,5 est-il égal à $\frac{1}{2}$?

Réinvestissement

L'unité d'aire est le rectangle.
Trace un triangle de même aire.

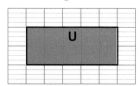

U

Le coin du **chercheur**

Avec les nombres
1, 1, 2, 5,
complète cette addition.

$$\begin{array}{r} 3\ ... \\ +\ ...\ 9 \\ \hline ...\ ... \end{array}$$

Compétences : Ajouter deux fractions décimales.
Passer de l'écriture fractionnaire à l'écriture décimale et réciproquement.

Lire, débattre

Aux Jeux olympiques d'Athènes, en 2004, l'une de ces deux nations a obtenu la médaille d'or à la finale masculine du 4 × 100 mètres.

Laquelle ?

Trinidad

38 s $\frac{6}{10}$

Royaume-Uni

38 s $\frac{7}{100}$

Chercher

Tu sais construire une droite graduée en **dixièmes**.
On peut aussi la graduer en **centièmes**.

$$0 \quad \frac{1}{10} \quad \frac{5}{10} \quad \frac{8}{10} \quad 1 \quad \frac{12}{10}$$

$$\frac{10}{100} \quad \frac{35}{100} \quad \frac{50}{100} \quad \frac{80}{100} \quad \frac{108}{100} \quad \frac{120}{100}$$

Les fractions décimales peuvent s'écrire sous la forme de nombres décimaux.

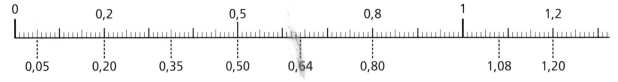

$$0 \quad 0,2 \quad 0,5 \quad 0,8 \quad 1 \quad 1,2$$

$$0,05 \quad 0,20 \quad 0,35 \quad 0,50 \quad 0,64 \quad 0,80 \quad 1,08 \quad 1,20$$

a. Utilise ces droites pour compléter les égalités.

$\frac{2}{10} = \frac{....}{100}$; $\frac{11}{10} = \frac{....}{100}$; $\frac{30}{100} = \frac{....}{10}$; $\frac{120}{100} = \frac{....}{10}$

b. Complète les égalités selon l'exemple : $\frac{124}{100} = \frac{100}{100} + \frac{24}{100} = 1 + \frac{24}{100} = 1,24$

$\frac{1\ 246}{1\ 000} = ...$; $\frac{2\ 102}{100} = ...$; $\frac{314}{10} = ...$; $\frac{85}{100} = ...$; $1,37 = ...$; $7,48 = ...$

c. Pour chaque nombre de l'exercice **b.**, indique :
– la partie entière,
– la partie décimale,
– le chiffre des dixièmes,
– le chiffre des centièmes ;
– le chiffre des millièmes.

Tu peux utiliser un tableau de ce modèle.

Fraction	Partie entière		Partie décimale			Nombre décimal
	dizaines	unités	dixièmes	centièmes	millièmes	
$\frac{124}{100}$		1	2	4		1,24
$\frac{1\ 246}{1\ 000}$		1	2	4	6	1,246

Mémo

$\frac{265}{100} = \frac{200}{100} + \frac{60}{100} + \frac{5}{100} = 2 + \frac{6}{10} + \frac{5}{100} = 2,65$

2,65 se lit « deux unités soixante-cinq centièmes » ou « deux virgule soixante-cinq ».

2 , 65

partie entière   partie décimale

La virgule sépare la partie entière de la partie décimale.

S'exercer, résoudre

Banque d'exercices et de problèmes n⁰ˢ 34 à 36 p. 80.

1) Écris en chiffres les nombres décimaux suivants.

six unités trente-cinq centièmes

trente unités soixante-cinq centièmes

huit dixièmes

onze unités cinq centièmes

quarante-deux centièmes

cinq dizaines neuf centièmes

2) **a.** Recopie les nombres : 8,31 ; 0,37 ; 45,06. Entoure en **rouge** le chiffre des dixièmes et en **bleu** celui des centièmes.

b. Recopie les nombres : 16,52 ; 250,38. Entoure en **rouge** le chiffre des dixièmes, en **noir** celui des dizaines et en **bleu** celui des centièmes.

3) Décompose ces fractions, puis écris les nombres décimaux correspondants

selon l'exemple : $\frac{245}{100} = 2 + \frac{45}{100} = 2,45$

a. $\frac{24}{10}$; $\frac{125}{100}$; $\frac{356}{100}$; $\frac{1\,275}{100}$

b. $\frac{352}{100}$; $\frac{3}{10}$; $\frac{28}{100}$; $\frac{5}{100}$

4) Parmi les fractions $\frac{30}{10}$; $\frac{3}{100}$; $\frac{30}{100}$; $\frac{300}{100}$; $\frac{3}{10}$, lesquelles sont égales à :

a. 0,3 ?   **b.** 0,03 ?   **c.** 3 ?

5) Écris ces nombres sous la forme d'une fraction décimale.

0,8 ; 3,15 ; 12,6 ; 0,85 ; 24,15 ; 0,08

6) En utilisant les cinq étiquettes dans les mains de Mathéo, écris :

a. les deux plus petits nombres possibles ;

b. deux nombres compris entre 2 et 4 ;

c. deux nombres compris entre 40 et 45.

7) Un intrus s'est glissé parmi ces nombres égaux : 0,8 ; 0,80 ; $\frac{8}{10}$; $\frac{8}{100}$; $\frac{80}{100}$.
Quel est ce nombre ?

Calcul réfléchi

Observe :

23 × 5 = (23 × 10) : 2 = 115

Effectue sans poser les opérations :

36 × 5 ; 43 × 5 ; 14 × 5 ; 32 × 5 ; 28 × 5.

Le coin du chercheur

Trace un quadrilatère :
– il possède un seul axe de symétrie ;
– ses diagonales sont perpendiculaires et ne se coupent pas.

Compétence : Réinvestir les fractions en musique.

Lire, chercher

A En musique, la durée d'une note s'exprime en « temps ».

> Des croches ou doubles croches peuvent être reliées par un trait.
>
> 🎵 I temps
>
> 🎵 $\frac{1}{2}$ temps

> ronde : ○ = 4 temps
>
> blanche : ♩ = 2 temps
>
> noire : ♩ = 1 temps
>
> croche : ♪ = $\frac{1}{2}$ temps
>
> double croche : ♬ = $\frac{1}{4}$ temps

Reproduis la droite graduée et place chacune de ces notes selon leur durée.

```
0           1           2           3           4
|___|___|___|___|___|___|___|___|___|___|___|___|
            |
```

B Quelle est la durée de chaque groupe de notes ? (Tu peux t'aider de la droite graduée.)

a. b. c. d.

C Un point placé après une note augmente la valeur de cette note de la moitié.

> blanche pointée : ♩. = 2 + 1 = 3 temps
>
> noire pointée : ♩. = 1 + $\frac{1}{2}$ = 1 temps et demi

Quelle est la durée de chaque note ou groupe de notes ?

a. b. c. d.

D Dans une partition, une mesure est encadrée par deux traits verticaux sur la portée.

Une mesure notée $\frac{4}{4}$ comporte 4 temps, une mesure notée $\frac{3}{4}$ comporte 3 temps et une mesure notée $\frac{2}{4}$ comporte 2 temps.

Voici trois mesures d'un morceau de musique. Explique pourquoi chacune de ces mesures est égale à 4 temps.

S'exercer, résoudre

Recopie, puis place les traits de mesure des morceaux suivants.

Au clair de la lune

Au clair de la lu - ne mon a - mi pier - rot

Polonaise de Gabrielsky

34 Problèmes procédures personnelles (2)

Compétence : Élaborer une démarche originale dans un problème pour lequel on ne dispose pas de solution déjà éprouvée.

Calcul mental

Somme de nombres de 3 chiffres.

$125 + 160, \ldots$

Chercher, argumenter

● **Cherche d'abord seul ou avec ton équipe.**

> Ninon et Éva veulent se partager 100 €
> de façon que Ninon ait 10 € de plus qu'Éva.
> Quelle sera la part de chacune ?

Tu peux utiliser un schéma, des jetons, de la monnaie…
Compare ta réponse et ta démarche à celles de tes camarades.

● **Observe maintenant les raisonnements de Ninon et d'Éva.**

Je partage les 100 € en deux.
Chacune a …. €.
Éva me donne 10 €.
Il reste à Éva …. − 10 = …. €
et moi j'ai …. + 10 = …. €.

Je donne d'abord 10 €
à Ninon. Il reste 100 − 10 = 90 €.
Je partage ces 90 euros en deux.
90 : 2 = ….
J'ai donc …. €
et Ninon a …. + 10 = …. €.

Ninon

Éva

Termine leurs calculs et indique qui a trouvé la bonne réponse.

> N'oublie pas de vérifier si Ninon a bien 10 € de plus qu'Éva !

S'exercer, résoudre

Banque d'exercices et de problèmes n°s 37 et 38 p. 80.

1) Dans un ranch on compte 30 chevaux qui appartiennent à Pedro et à Anita. Pedro a 8 chevaux de plus qu'Anita.

Combien de chevaux chacun possède-t-il ?

2) Partage 120 billes entre Bruno et Laure de façon que Bruno ait 16 billes de moins que Laure.

3) Partage 90 pommes entre Lilian, Nelly et Aurélie, de façon que Nelly ait 15 pommes de plus que chacun de ses camarades.

Quelle sera la part de chacun ?

35 Mobilise tes connaissances!

Compétence : Mobiliser l'ensemble des connaissances et des savoir-faire pour interpréter des documents et résoudre des problèmes complexes.

L'Eurostar

Nous avons pris l'Eurostar pour aller de Paris à Londres. Voici les documents que nous avons rapportés. Étudie-les, puis aide-nous à répondre aux questions que nous nous posons.

- Depuis le 14 novembre 1994, les voyageurs qui traversent la Manche ont le choix entre trois moyens de transport : le bateau, l'avion et l'Eurostar.

- L'Eurostar est un TGV effectuant les liaisons Paris-Londres en 2 h 35 min et Bruxelles-Londres en 2 h 20 min par le tunnel sous la Manche.

- On compte 17 aller-retour Paris-Londres par jour durant la semaine et 16 le dimanche.

- En 2004, 45 millions de personnes ont traversé la Manche (en 20 ans, ce nombre a triplé). Parmi ces 45 millions de personnes, environ $\frac{1}{6}$ ont choisi l'Eurostar.

- Une rame Eurostar comporte une motrice en tête et une en queue de convoi, ainsi que 18 voitures offrant 794 places assises. Elle mesure 394 m de long et pèse environ 752 tonnes.

- Sa vitesse est environ 186 « miles »* par heure à l'air libre et 100 « miles » par heure dans le tunnel.

*Le « mile » est une mesure de longueur anglaise qui vaut 1 609 m

Combien de personnes ont pris l'Eurostar en 2004 ?

Combien de personnes traversaient la Manche en 1984 ?

Combien de passagers l'Eurostar peut-il transporter chaque semaine de Paris à Londres ?

À l'air libre, combien de km ce TGV parcourt-il en 1 heure ? Dans le tunnel, quelle distance parcourt-il en 15 min ?

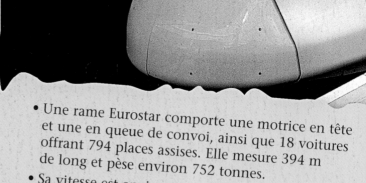

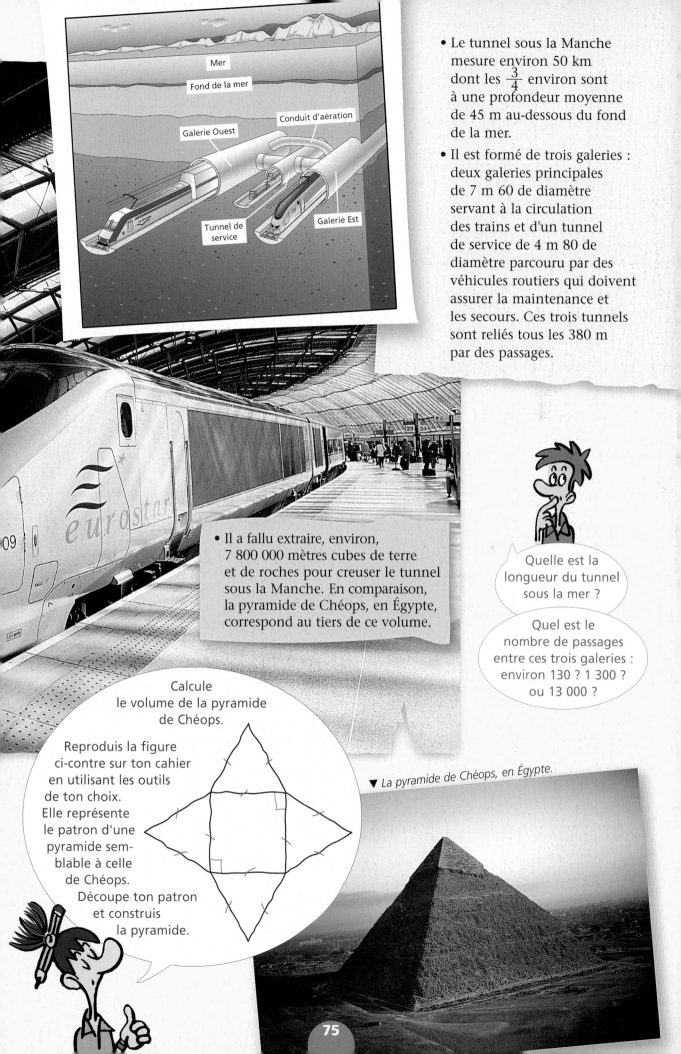

Mer

Fond de la mer

Conduit d'aération

Galerie Ouest

Galerie Est

Tunnel de service

- Le tunnel sous la Manche mesure environ 50 km dont les $\frac{3}{4}$ environ sont à une profondeur moyenne de 45 m au-dessous du fond de la mer.

- Il est formé de trois galeries : deux galeries principales de 7 m 60 de diamètre servant à la circulation des trains et d'un tunnel de service de 4 m 80 de diamètre parcouru par des véhicules routiers qui doivent assurer la maintenance et les secours. Ces trois tunnels sont reliés tous les 380 m par des passages.

- Il a fallu extraire, environ, 7 800 000 mètres cubes de terre et de roches pour creuser le tunnel sous la Manche. En comparaison, la pyramide de Chéops, en Égypte, correspond au tiers de ce volume.

Quelle est la longueur du tunnel sous la mer ?

Quel est le nombre de passages entre ces trois galeries : environ 130 ? 1 300 ? ou 13 000 ?

Calcule le volume de la pyramide de Chéops.

Reproduis la figure ci-contre sur ton cahier en utilisant les outils de ton choix. Elle représente le patron d'une pyramide semblable à celle de Chéops. Découpe ton patron et construis la pyramide.

▼ La pyramide de Chéops, en Égypte.

75

Pour chaque exercice, recopie
la bonne réponse **A**, **B** ou **C**.

■ Nombres

- Connaître et utiliser : double, moitié, triple, tiers, quadruple, quart...
- Utiliser les fractions dans des cas simples de partage ou de codage de mesures de grandeurs.
- Écrire une fraction sous forme d'une somme d'un entier et d'une fraction inférieure à 1.
- Encadrer une fraction simple par deux entiers consécutifs.
- Passer d'une écriture fractionnaire à une écriture à virgule et réciproquement.
- Connaître la valeur de chacun des chiffres de la partie décimale en fonction de sa position.

		A	B	C	Aide
1	Quel est le tiers de 30 ?	90	10	3	**Leçon 25** Mémo (p. 56) Exercices 2 et 3 (p. 57)
2	Quel est le quart de 20 ?	5	80	40	
3	75 est le triple de …	15	25	50	
4	L'unité est le carré entier. Dans quelle figure, l'aire coloriée est-elle égale à $\frac{1}{2}$ de celle du carré ? A B	Aucune	A	B	**Leçons 27 et 28** Mémo (p. 60, 62) Exercices 1 et 2 (p. 61, 63)
5	L'unité est le segment rouge. Quelle est la mesure du segment **a** ?	$\frac{7}{5}$	$\frac{2}{5}$	$\frac{5}{7}$	
6	Quelle somme est égale à la fraction $\frac{5}{2}$?	$5 + \frac{1}{2}$	$1 + \frac{1}{2}$	$2 + \frac{1}{2}$	
7	Quels nombres encadrent la fraction $\frac{1}{3}$?	1 et 3	0 et 1	1 et 2	
8	Quel nombre est égal à la fraction $\frac{682}{10}$?	682	6,82	68,2	**Leçons 31 et 32** Mémo (p. 68, 70) Exercices 1, 2, 3, 4 (p. 69, 71)
9	Quelle fraction est égale à 0,68 ?	$\frac{68}{10}$	$\frac{68}{100}$	$\frac{68}{1\,000}$	
10	Écris en chiffres : 2 dizaines et 3 centièmes	20,03	0,23	20,3	

■ Grandeurs et mesures

- Mesurer l'aire d'une surface à l'aide d'une surface de référence.
- Comparer des surfaces selon leur aire.

		A	B	C	Aide
11	Le carreau est l'unité d'aire. Quelle est l'aire de la figure jaune ?	6 carreaux	8 carreaux	10 carreaux	**Leçon 24** Mémo (p. 54) Exercices 1 et 2 (p. 55)
12	Compare l'aire de la figure rose à celle de la figure verte.	L'aire rose est plus grande que l'aire verte.	L'aire rose est plus petite que l'aire verte.	Elles sont égales.	

■ Calcul

- Organiser et effectuer mentalement un calcul de division.
- Poser et effectuer une division euclidienne de deux entiers.

		A	B	C	Aide
13	Sans poser la division, calcule le quotient et le reste de 187 par 6.	$187 = (6 \times 31) + 1$	$187 = (6 \times 30) + 7$	$187 = (6 \times 32) + 1$	**Leçon 19** Exercices 1 et 2 *(p. 48)*
14	Pose et effectue les divisions. Quel est le résultat de la division de 208 par 4 ?	q = 50 r = 4	q = 52 r = 0	q = 51 r = 4	**Leçons 20 et 23** Mémo *(p. 49)* Exercice 1 *(p. 49, 53)*
15	Quel est le résultat de la division de 672 par 37 ?	q = 17 r = 3	q = 108 r = 6	q = 18 r = 6	

■ Géométrie

- Vérifier la nature d'une figure en ayant recours aux instruments.

			A	B	C	Aide
16	C'est un quadrilatère qui n'a pas d'angle droit, mais tous ses côtés sont égaux. C'est la figure …		A	B	E	**Leçon 29** Chercher *(p. 64)* Exercice 1 *(p. 65)*
17	Ce n'est pas un quadrilatère, elle possède deux angles droits et trois côtés égaux. C'est la figure …		E	D	C	
18	Elle a un seul axe de symétrie et aucun angle droit. C'est la figure …		A	C	E	
19	Elle a quatre axes de symétrie et quatre angles droits. C'est la figure …		A	B	D	

■ Problèmes

- Résoudre des problèmes relevant des quatre opérations.

		A	B	C	Aide
20	Amandine distribue équitablement quatre-vingt-douze images à ses quatre camarades. Combien d'images chacun reçoit-il ?	368	23	96	**Leçon 18** Exercice 1 *(p. 47)*
21	Coline donne neuf bonbons à chacun de ses cinq camarades. Il lui en reste cinq. Combien de bonbons y avait-il dans le sac ?	50	45	40	

Leçon 18

1 Stéphanie transfère 56 photos de son appareil numérique sur son ordinateur. Dans son album virtuel, elle place le même nombre de photos sur 7 pages.

Combien de photos chaque page contient-elle ?

2 L'*halabé* est une araignée de Madagascar capable de produire 55 km de fil de soie en un mois.

Quelle longueur de fil de soie peut-elle tisser en une année ?

3 La récolte record de miel a atteint 223 kg pour une seule ruche à Prats-Sournia, dans les Pyrénées-Orientales.

Depuis l'effet néfaste de certains insecticides qui ont causé la mort de nombreuses abeilles, une ruche ne produit plus que 30 kg de miel en moyenne.

a. Combien de ruches faudrait-il environ pour égaler le record ?

b. Un apiculteur vient de récolter 540 kg de miel.

Combien de ruches possède-t-il ?

4 La forêt amazonienne est en danger. Chaque jour, une superficie égale à celle de 93 200 terrains de football est détruite. Un terrain de football a une superficie de 5 000 m².

Quelle est, en m², la superficie de forêt détruite chaque jour ? Chaque année ?

Leçon 19

5 Sans poser les opérations, calcule le quotient et le reste des divisions suivantes.

a. 50 par 8 ; **b.** 62 par 5 ; **c.** 123 par 10

6 Sans poser les opérations, calcule le quotient et le reste des divisions suivantes.

a. 133 par 6 ; **b.** 412 par 8

7 Observe ces égalités, puis indique celles qui donnent le quotient et le reste de la division par 7.
Justifie ta réponse.

256 = (7 × 35) + 11 ; 318 = (7 × 45) + 3
406 = 7 × 58 ; 169 = (7 × 21) + 22

Leçon 20

8 Quel est le nombre de chiffres du quotient des divisions suivantes ?

a. 435 par 6 ; **b.** 1 063 par 9

9 Quelles sont les valeurs possibles du reste de la division d'un nombre par 6 ?

10 Pose et effectue ces divisions.

a. 292 divisé par 6 ; **b.** 314 divisé par 4

11 Dans un atelier de poterie, les employés rangent 579 tasses dans des coffrets de 8.

a. Combien de coffrets complets peuvent-ils préparer ?

b. Combien de tasses ne seront pas rangées ?

12 1996 est multiple de 4. L'année 1996 est bissextile, c'est-à-dire qu'elle compte un jour de plus que les années ordinaires.

Toutefois, les années multiples de 100 ne sont pas bissextiles, sauf celles qui sont multiples de 400.

Parmi les années suivantes, lesquelles sont bissextiles ?

1944 ; 1900 ; 2000 ; 2004 ; 2010

Leçon 21

13 Reproduis la figure.

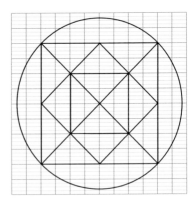

Leçon 22

14 Quel est le nombre de chiffres du quotient des divisions suivantes ?

a. 3 654 par 14 ; **b.** 5 328 par 17

15 Sans poser les opérations, effectue ces divisions.

a. 653 divisé par 10 ; **b.** 845 divisé par 20

16 Cherche le nombre de chiffres du quotient, puis effectue chaque division sans la poser.

a. 1 569 divisé par 30 ; b. 5 036 divisé par 20 ;
c. 6 424 divisé par 40

Leçon 23

17 Pose et effectue ces divisions.

a. 3 546 divisé par 18 ; b. 1 578 divisé par 27 ;
c. 4 603 divisé par 35

18 Les billets pour un concert se vendent au tarif unique de 45 €. La recette s'élève à 5 760 €.

Combien de spectateurs payants ont assisté au concert ?

19 Pour obtenir un fromage de Salers de 40 kg, il faut environ 400 litres de lait.
Un éleveur récolte 6 000 L de lait en un mois.

a. Combien de fromages produit-il ?

b. Quelle est la masse de fromage obtenu ?

Leçon 24

20 L'unité d'aire est l'aire d'un carreau.
Quelle est l'aire coloriée de chaque figure ?

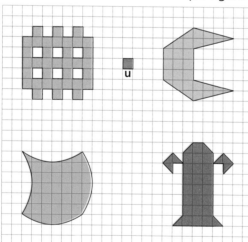

Leçon 25

21 Reproduis et complète chaque tableau.

a.

	double	triple	quadruple
3			
7			
9			
10			

b.

	moitié	tiers	quart
24			
36			
48			
72			

22 Recopie et complète les phrases suivantes avec les mots *double*, *triple* ou *quadruple*.

a. 75 est le .... de 25   c. 120 est le .... de 30

b. 100 est le .... de 50   d. 900 est le .... de 300

23 Recopie et complète les phrases suivantes avec *la moitié*, *le tiers* ou *le quart*.

a. 75 est .... de 150

b. 60 est .... de 240

c. 200 est .... de 800

d. 600 est .... de 1 800

24 Un *Airbus A300* peut transporter 185 passagers sur 7 500 km.
Avec l'*Airbus A380*, le nombre de passagers transportés est le triple, et la distance parcourue environ le double.

Combien de passagers l'*Airbus A380* peut-il transporter ? Sur quelle distance environ ?

Leçon 26

25 Place les parenthèses pour que chaque égalité soit vérifiée.

a. 2 × 3 + 4 = 14   ;   b. 6 + 2 × 5 = 16   ;
c. 18 − 8 × 2 = 20

26 Effectue les calculs suivants en utilisant les touches mémoire de la calculatrice.

a. (28 × 31) + (16 × 24) ; b. 78 + (12 × 5) ;
c. (41 × 51) − (17 × 82)

Leçon 27

27 L'unité d'aire est l'aire de chaque drapeau. Pour chacun d'eux, trouve la fraction qui donne la mesure de l'aire de la partie rouge.

AUTRICHE

CHILI

BÉNIN

MAURICE

LIBAN

MALTE

Banque d'exercices et de problèmes (2)

28 L'unité d'aire est l'aire du drapeau.
La mesure de l'aire de la partie rouge est-elle :

– égale à $\frac{1}{4}$?

– supérieure à $\frac{1}{4}$?

– égale à $\frac{1}{2}$?

PANAMÁ

Leçon 28

29 Trace la droite graduée. Place sur cette droite les fractions :

$$\frac{1}{2} \quad ; \quad \frac{1}{5} \quad ; \quad \frac{3}{2} \quad ; \quad \frac{6}{5}$$

30 Décompose suivant l'exemple.

$$\frac{8}{5} = \frac{5}{5} + \frac{3}{5} = 1 + \frac{3}{5}$$

$$\frac{7}{4} \quad ; \quad \frac{9}{5} \quad ; \quad \frac{8}{3} \quad ; \quad \frac{15}{5}$$

Leçon 29

31 J'ai 4 côtés, 2 axes de symétrie et je ne possède pas d'angle droit.

Qui suis-je ?

Leçon 31

32 Aide-toi de la droite graduée pour compléter les égalités selon l'exemple.

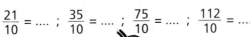

$$\frac{42}{10} = \frac{40}{10} + \frac{2}{10} = 4 + \frac{2}{10}$$

$$\frac{21}{10} = \dots \quad ; \quad \frac{35}{10} = \dots \quad ; \quad \frac{75}{10} = \dots \quad ; \quad \frac{112}{10} = \dots$$

33 Observe l'exemple, puis complète.

$\frac{16}{10}$	$1 + \frac{6}{10}$	1,6
$\frac{59}{10}$	....	....
....	$8 + \frac{7}{10}$	....
....	....	9,4
$\frac{175}{10}$	....	....

Leçon 32

34 Écris les nombres décimaux égaux aux fractions suivantes.

$$\frac{145}{100} \quad ; \quad \frac{12}{10} \quad ; \quad \frac{64}{100} \quad ; \quad \frac{9}{10} \quad ; \quad \frac{4}{100} \quad ; \quad \frac{75}{10}$$

35 Sur une feuille quadrillée, trace un carré de côté 10 carreaux.

a. Colorie $\frac{2}{10}$ du carré en bleu, puis $\frac{15}{100}$ en jaune et ensuite $\frac{1}{4}$ en vert.

b. Quelle est, en centièmes, la partie non coloriée du carré ?

36 Observe l'exemple et complète.

$\frac{135}{100}$	$1 + \frac{3}{10} + \frac{5}{100}$	1,35
$\frac{645}{100}$	....	....
....	$2 + \frac{5}{100}$	....
....	....	0,95
....	$31 + \frac{8}{10}$	....

Leçon 34

37 Dans une boîte, on a placé 6 paires de chaussures identiques (même taille et même couleur).
Combien de chaussures faudra-t-il tirer les yeux bandés pour être sûr d'avoir une paire ?

38 Frédéric compte ses billes par paquets de 10, puis par paquets de 15. Dans les deux cas, il lui reste cinq billes en plus des paquets. Il a plus de 50 billes et moins de 100.

Combien de billes peut-il avoir ?

Période 3

	Leçons		Leçons
• Décomposer et comparer des nombres décimaux.	36	• Multiplier ou diviser un nombre décimal	42, 45, 46, 50
• Identifier les différents triangles et les tracer.	37, 41	• Lire et interpréter un graphique.	43
• Mesurer des aires.	38	• Comparer et tracer des angles.	44
• Calculer la somme, la différence de nombres décimaux	39, 40	• Calculer un périmètre.	47, 49
		• Mesurer des longueurs.	48
		• Résoudre un problème.	43, 51, 52

Compétences : Comparer deux nombres décimaux ; intercaler un décimal entre deux entiers.

Calcul mental

Passer de la fraction au décimal.
$\dfrac{1}{10}$ …

Lire, débattre

Comment savoir quel film a eu le plus de succès ?

Films	Nombre de spectateurs en millions
L'Ours	9,14
Astérix et Obélix contre César	9,09
E.T. l'Extraterrestre	8,94
Le Grand Bleu	9,2

Chercher

A Deux cyclistes, Janie et Amanda, roulent sur la piste pendant 5 minutes.
Le compteur du vélo de Janie indique 2,5 km. Celui du vélo d'Amanda 2,375 km.

Qui a parcouru la plus grande distance ?

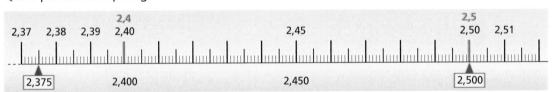

Pour comparer des nombres décimaux, utilise la droite graduée.

B Écris un nombre pour compléter chaque inégalité.
2,4 < … < 2,5   ;   2,45 < … < 2,46   ;   5 < … < 6

C Écris le signe qui convient : < , > ou = .
3,2 … 3,20   ;   0,25 … 0,5   ;   6,45 … 6,15   ;   4,09 … 4,2

D Range ces nombres en ordre croissant.
4,5   ;   4,1   ;   4,15   ;   4,05   ;   4,09

E Encadre chaque nombre décimal entre deux nombres entiers consécutifs.
Arrondis-le ensuite au nombre entier le plus proche.
2,85   ;   1,05   ;   17,32   ;   0, 75

Mémo

Pour comparer des nombres décimaux :

– on compare d'abord les **parties entières** : **5**,29 > **3**,98 car **5** > **3** ;

– s'ils ont la même partie entière, on compare les **parties décimales** (d'abord les dixièmes, puis les centièmes…).

2,**6**5 > 2,**4**81 car $\dfrac{6}{10} > \dfrac{4}{10}$; 2,6**5** < 2,6**7**1 car $\dfrac{5}{100} < \dfrac{7}{100}$

S'exercer, résoudre

Banque d'exercices et de problèmes nos 1 à 5 p. 112.

1) Observe l'exemple : $3,25 = \dfrac{325}{100}$; 3,25 c'est 325 centièmes.

   a. Quel est le nombre de centièmes dans chacun des nombres suivants ?

   3,24 ; 12,05 ; 0,485 ; 8,3 ; 15 ; 1

   b. Utilise ces résultats pour ranger ces nombres en ordre croissant.

2) Range les nombres de chaque ligne
   en ordre croissant.

   a. 3,5 ; 3,8 ; 2, 9 ; 3 ; 1,9

   b. 0,15 ; 0,09 ; 0,12 ; 0,80 ; 0,25

3) Écris le signe qui convient : < , > ou = .

   a. 5,81 ... 5,09 ; 7,12 ... 7,2

   b. 0,215 ... 0,095 ; 3,05 ... 3,049

4) Écris des nombres pour compléter
   les inégalités.

   a. 2,45 < ... < ... < ... < 2,48

   b. 0,12 < ... < ... < ... < 0,13

5) Encadre chaque nombre décimal entre
   les deux nombres entiers les plus proches.

   a. ... < 8, 245 < ... ; ... < 0 ,78 < ...

   b. ... < 9,199 < ... ; ... < 78,255 < ...

6) Le tableau présente quelques circuits de Grands Prix automobiles de Formule 1.

Grands Prix de F1		
Pays	Longueur du circuit (en km)	Record du tour (vitesse en km/h)
Argentine	5,968	204,066
Autriche	5,942	242,2
Brésil	5,031	194,868
Italie	5,8	240,564
Japon	5,859	210,835
San Marin	5,040	204,631

a. Quel est le circuit le plus long ?
   Le plus court ?

b. Quel est le circuit le plus rapide ?
   Le moins rapide ?

N'oublie pas :
1 tonne = 1 000 kg

7) Quels véhicules peuvent passer sur le pont sans danger ?

7,5 t

12 t

1 700 kg   5,5 t   6 450 kg

Réinvestissement

Trace un quadrilatère quelconque ABCD.

Marque les milieux des côtés I, J, K et L.

Quel est le nom du quadrilatère IJKL ?

Le coin du **chercheur**

Dessine un carré rouge et un carré bleu. Place les nombres de 1 à 8 aux sommets des carrés. La somme des nombres du carré bleu doit être égale à la somme des nombres du carré rouge.

Compétence : Vérifier qu'un triangle est rectangle, isocèle ou équilatéral.

Lire, débattre

Comment vérifier que des triangles sont rectangles, isocèles ou équilatéraux ?

Chercher

Observe la figure ci-dessous. Elle est composée de plusieurs polygones.

A Lesquels sont des triangles ?

B Cherche leurs propriétés et donne leur nom selon l'exemple.
Présente tes résultats en reproduisant et en complétant le tableau.

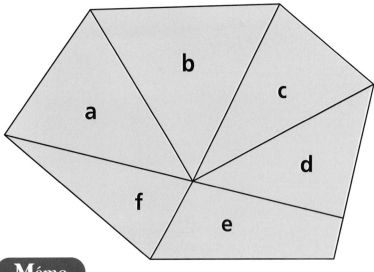

	Triangles		
	a	b	…
Axes de symétrie	1	…	…
Côtés de même mesure	2	…	…
Angle droit	0	…	…
Nom	isocèle	…	…

Mémo

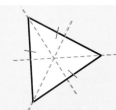

Triangle rectangle
1 angle droit

Triangle isocèle
1 axe de symétrie
2 côtés égaux

Triangle équilatéral
3 axes de symétrie
3 côtés égaux

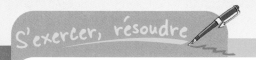

S'exercer, résoudre

Banque d'exercices et de problèmes n° 6 p. 112.

1) **a.** Quels triangles paraissent équilatéraux ?

b. Vérifie tes hypothèses avec les instruments de géométrie.

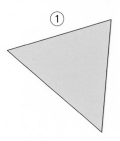
① ②

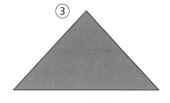
③ ④

2) Observe ces triangles dessinés à main levée.
Trouve le nom de chacun d'eux.

 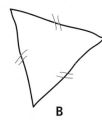 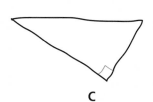 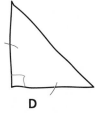

    A   **B**   **C**   **D**

3) Trace un rectangle ABCD et ses diagonales. Elles se coupent au point E.
Combien obtiens-tu de triangles isocèles ? De triangles rectangles ? Nomme-les.

4) **a.** Trace un carré et ses diagonales. Combien de triangles obtiens-tu ?

b. Découpe le carré selon ses diagonales.
Assemble les quatre triangles obtenus pour construire la figure A, puis la figure B.
Que peux-tu dire de l'aire de ces figures et de celle du carré ?

c. À ton tour, réalise d'autres figures avec ces quatre triangles.

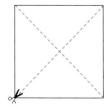   **A**    **B**

5) Écris **V** ou **F** selon que les affirmations suivantes sont vraies ou fausses.

a. Un triangle équilatéral est toujours isocèle.

b. Un triangle isocèle est toujours équilatéral.

c. Un triangle rectangle peut être isocèle.

d. Un triangle rectangle peut être équilatéral.

Le coin du **chercheur**

Un nénuphar dont la surface double chaque jour met 8 jours pour recouvrir la surface d'une mare. Combien de jours a-t-il fallu pour recouvrir la moitié de la mare ?

Calcul réfléchi

Trouve la consigne, puis écris les 8 nombres suivants.

3,5 ; 3,6 ; 3,7 ; ...

Compétences : Encadrer la mesure d'une aire entre deux mesures.
Évaluer la mesure d'une aire.

Lire, débattre

En 1780 le géographe Robert de Hesseln dresse une carte de France découpée en carrés qui représentent des « contrées ».

Comment estimer la superficie de la France en prenant un carré pour unité ?

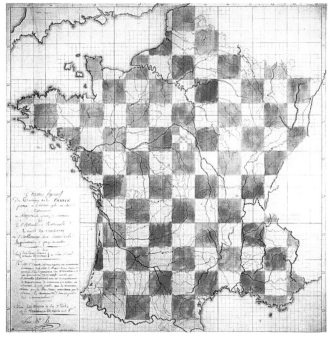

Chercher

A Éloïse mesure l'aire de ce dessin en prenant le carreau **u** pour unité.

Elle compte les carreaux limités par le polygone rouge. Elle en trouve 88.

a. L'aire du dessin est-elle égale, supérieure ou inférieure à 88 **u** ?

b. Pour compter plus rapidement les carreaux, Éloïse utilise la symétrie.
Comment procède-t-elle ?

B Juliette compte les carreaux limités par le polygone bleu. Elle en trouve 66.
Vérifie-le.

L'aire de ce dessin est-elle égale, inférieure ou supérieure à 66 **u** ?

C Complète la double inégalité.

… < aire du dessin < …

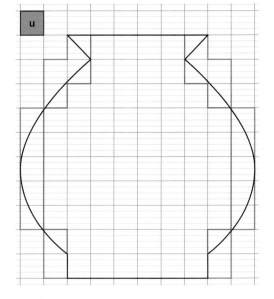

Mémo

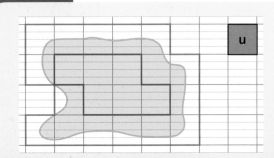

6 u < aire de la figure orange < 22 u

S'exercer, résoudre

Banque d'exercices et de problèmes n°s 7 et 8 p. 112.

1) Écris un encadrement de l'aire de la figure orange. L'unité est l'aire du carreau.

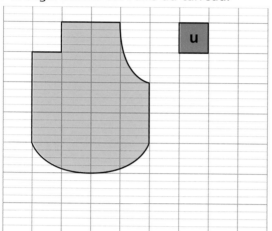

2) Écris un encadrement de l'aire de la figure verte. L'unité est l'aire du demi-carreau.

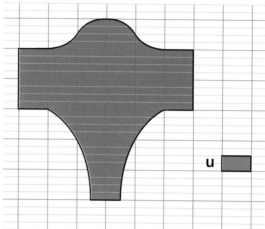

3) Écris un encadrement de l'aire de la figure rose.
Pour t'aider, utilise les symétries.

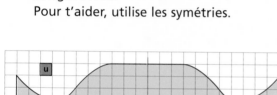

4) Décalque cette figure jaune. Utilise le quadrillage de ton cahier pour trouver le meilleur encadrement possible de son aire. L'unité d'aire est celle d'un carreau.

Aligne le trait droit avec le quadrillage du cahier.

5) Chaque carré de la carte de France de la page précédente représente une contrée d'environ 5 200 km².

Trouve, en km², un encadrement de l'aire de la France.

J'ai compté 120 carreaux par excès et 81 carreaux entiers à l'intérieur.

6) **a.** Le carreau étant l'unité d'aire, écris un encadrement de la superficie de l'île de la Réunion.

b. L'aire d'un carreau est 100 km².
Écris cet encadrement en km².

c. La superficie de l'île est en réalité 2 511 km². Vérifie si ton encadrement correspond à cette superficie.

Saint-Denis
Saint-Paul
Saint-Benoît
île de la Réunion
Saint-Pierre
10 km

Calcul réfléchi

Trouve la consigne, puis écris les 8 nombres suivants.

0,15 ; 0,65 ; 1,15 ; ...

Le coin du chercheur

En reliant 4 points, combien de carrés peux-tu construire ?

Calcul réfléchi : somme et différence de deux décimaux

Compétence : Calculer sans poser les opérations la somme et la différence de deux nombres décimaux.

Extraire la partie entière d'une fraction.

$\frac{7}{3}$, ...

Comprendre et choisir

Hubert calcule la somme **4,25 + 13**, Maria la somme **2,8 + 1,7** et Noé calcule la différence **8,2 – 5,3**. Ils peuvent écrire les résultats des calculs intermédiaires sur leurs cahiers d'essais, mais ne doivent pas poser les opérations.

A Observe comment ils procèdent, puis termine leurs calculs.

Hubert

4,25 c'est 4 + 0,25.
13 + 4,25 c'est 13 + ... + ...
Cela fait : ...

2,8 + 1,7 c'est comme
2,8 + 0,2 + 1,5.
Cela fait : 3 + 1,5 = ...

Maria

B Trouve d'autres façons d'effectuer ces calculs.

C Compare tes calculs à ceux de tes camarades.

$8,2 = \frac{82}{10}$; $5,3 = \frac{53}{10}$

$\frac{82}{10} - \frac{53}{10} = \frac{...}{10} = ...$

Noé

S'exercer, résoudre

Banque d'exercices et de problèmes nos 9 à 11 p. 112

1) Recopie et complète.

a. 0,6 + ... = 1
 0,25 + ... = 1
 0,3 + ... = 1
 0,15 + ... = 1

b. 1,8 + ... = 2
 1,76 + ... = 2
 0,9 + ... = 2
 1,90 + ... = 2

2) Ajoute deux nombres décimaux pour obtenir un nombre entier selon l'exemple.

6,8	0,3	11
6,6	5,9	12
7,1	5,2	13
9,7	4,4	10

3) Effectue sans poser les opérations.

a. 3,5 + 6 ; 5,2 + 0,7 ; 3,4 + 1,6
b. 2,3 + 0,9 ; 5,6 + 3,8 ; 7 + 3,15

c. 6,9 – 0,4 ; 3,8 – 0,8 ; 4,2 – 0,6
d. 1 – 0,4 ; 1 – 0,75 ; 1 – 0,05

4) Un cube de 10 cm de côté pèse 19,3 kg s'il est en or, 11,4 kg s'il est en argent, 7,8 kg s'il est en fer et seulement 2,7 kg s'il est en aluminium.

Calcule les différences de masse entre le cube en or et chacun des trois autres.

Mémo

Pour calculer sans poser les opérations, on peut :

- **décomposer le nombre décimal**

15 + **2,07** = 15 + **2** + **0,07**
  = 17 + 0,07
  = 17,07

- **passer par le nombre entier**

7,3 + **3,9** = 7,2 + **4**
  = 11,2

7,3 + **3,9** = 7,3 + **0,7** + **3,2**
  = 8 + 3,2
  = 11,2

40 Somme et différence de deux décimaux : technique

Compétence : Maîtriser l'algorithme de l'addition et celui de la soustraction des nombres décimaux.

Calcul mental

Extraire la partie entière d'une fraction.

$\dfrac{9}{4}$, ...

Chercher

Le 12 juin 2000, G. Dalton battait le record du monde de distance parcourue à la voile en 24 h. Il parcourait 625,7 milles.

A En 2001, S. Fosset a amélioré ce record de 61,47 milles.

Quel est le nouveau record ?

```
    6  2  5,  7  0
+      6  1,  4  7
   ... ... ... ... ...
```

● *Observe comment calcule Thomas, puis termine l'addition et rédige la réponse.*

B En 2002, Tracy Edwards bat à nouveau le record en parcourant 697 milles.

De combien de milles a-t-elle battu le record de S. Fosset ?

```
    6  9  7,  0  0
-   6  8  7,  1  7
   ... ... ... ... ...
```

● *Observe comment calcule Maria, puis termine la soustraction et rédige la réponse.*

> Vérifie les calculs précédents avec la calculatrice. La touche ┌.┐ sert à taper la virgule.

Banque d'exercices et de problèmes n°s 12 à 15 p. 113.

1) Pose et effectue.

    a. 704,29 + 9,17 ; 107,5 + 3,905 ; 36,14 + 178 + 9,4

    b. 136,28 − 78,9 ; 1,304 − 0,98 ; 758 − 12,17

2) Parmi les résultats proposés, trouve chaque fois la réponse exacte sans poser les additions.

a. 42,5 + 60 = ?	48,5	102,5	485
b. 55,2 + 7 = ?	55,27	55,9	62,2
c. 15 + 6,3 = ?	78	6,45	21,3
d. 45 + 15 + 8,5 = ?	145	68,5	88,5

3) Zinédine possède 100 € dans sa tirelire. Il souhaite offrir deux cadeaux à sa grande sœur pour son anniversaire.

Il a le choix entre une webcam à 78,80 €, un stylo à 18,45 € et un DVD de jeux à 47,75 €.

    a. Quels cadeaux Zinédine peut-il choisir ?

    b. Calcule la dépense dans chaque cas.

    c. Combien lui restera-t-il dans chaque cas ?

Réinvestissement

Trace un triangle rectangle isocèle.
Trace son axe de symétrie.

Le coin du chercheur

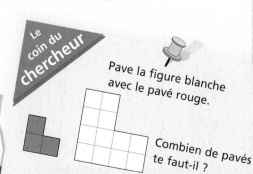

Pave la figure blanche avec le pavé rouge.

Combien de pavés te faut-il ?

Tracer des triangles

Compétence : Tracer des triangles et leurs hauteurs en utilisant le papier pointé, le quadrillage ou les instruments de géométrie.

Lire, débattre

En joignant 3 points de ce papier pointé, je peux tracer tous ces triangles !

En es-tu sûre ?

Chercher

A Trace un triangle ABC de côtés 7 cm, 5 cm et 6 cm en suivant les étapes :

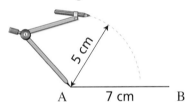

B CH est la hauteur du triangle issue du sommet C.
Quel instrument dois-tu utiliser pour la tracer ?
Trace-la.
Trace BI la hauteur du triangle issue du sommet B.

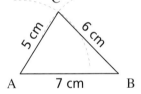

C Essaie de construire un triangle de côtés 8 cm, 3 cm et 4 cm.
Que constates-tu ?

Tu peux tracer différents triangles avec l'ordinateur. Reporte-toi à l'Atelier informatique n°3, page 189.

Mémo

Pour tracer un triangle tu peux utiliser :

un quadrillage géométrique	du papier pointé	des instruments de géométrie	

La **hauteur d'un triangle** est issue d'un sommet et perpendiculaire au côté opposé.
CH est la hauteur du triangle ABC issue du sommet C.

Banque d'exercices et de problèmes nᵒˢ 16 et 17 p. 113.

1) **a.** Trace un triangle rectangle ABC. L'angle droit est en A.
Le côté AB mesure 6 cm, le côté AC mesure 5 cm.

b. Trace la hauteur issue de A.

2) **a.** Trace un triangle équilatéral de 5 cm de côté.

b. Trace une hauteur.

c. Cette hauteur est-elle un axe de symétrie du triangle

3) Reproduis la figure formée par ces 9 points.
À l'aide de ce quadrillage et en plaçant
les sommets sur les points, trace les figures
suivantes lorsque tu le peux.
– un triangle isocèle ;
– un triangle équilatéral ;
– un triangle rectangle ;
– un triangle rectangle isocèle ;
– un triangle quelconque.

Pour t'aider, trace-les d'abord à main levée.

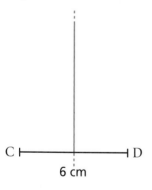

4) Trace un triangle isocèle BCD. Les côtés
égaux mesurent 4 cm et la droite rouge
est axe de symétrie.

C ├────┼────┤ D
   6 cm

5) Trace un triangle équilatéral ABC.
La droite rouge est axe de symétrie.

A

3 cm

6) Lorsque c'est possible, trace les triangles que l'on peut former avec les segments :
– *a*, *b* et *c* ;
– *a*, *b* et *d* ;
– *b*, *c* et *d*.

Segment	a	b	c	d
Longueur	10 cm	5 cm	7 cm	3 cm

Le coin du **chercheur**

Déplace deux allumettes pour faire nager le poisson vers le haut.

 Calcul réfléchi

Observe : 1,5 + 0,5 = 1 + 1 = 2

Calcule.

2,5 + 0,5   ;   5,5 + 0,5   ;   4 + 0,5

15,5 + 0,5   ;   9,5 + 0,5   ;   19,5 + 0,5

Compétence : Calculer en ligne le produit et le quotient d'un décimal par 10, 100, 1 000.

Lire, débattre

Je sais effectuer 67 × 10. C'est facile, il suffit d'écrire un zéro à droite de 67 :
67 × 10 = 670.

Alors 6,7 × 10 c'est 6,70 ?

Tu te trompes !

Chercher

A Au bureau de La Poste, Karine achète 10 timbres à 0,75 €.
Combien paie-t-elle ?

Observe, puis termine les calculs de Karine.

Je calcule le prix des 10 timbres en centimes :
0,75 € = 75 c
75 × 10 = ...
J'écris le prix en € : ...

B Utilise la calculatrice pour compléter le tableau.

Observe la place de la virgule quand tu multiplies un nombre décimal par 10, 100 ou 1 000.

Rédige la règle qui indique comment multiplier un nombre décimal par 10, 100 ou 1 000.....

Nombre de timbres	Valeur du timbre en €			
	0,50	0,58	1,90	0,05
10				
100				
1 000				

C **a.** Bilal dépense 5,80 € pour un lot de 10 timbres de même valeur.

Quelle est, en euros, la valeur d'un timbre ?

Observe, puis termine les calculs de Bilal.

Prix de 10 timbres :
5,80 € = 580 c
Prix d'un timbre en centimes :
580 : 10 = ...
En euros :
5,80 : 10 = ...

b. Au rayon informatique du supermarché on peut acheter :
– un lot de 100 CD à 49,00 € ;
– un lot de 10 DVD-R à 78,90 € ;
– un lot de 1 000 étiquettes adhésives pour imprimante laser à 54,00 €.
Utilise la calculatrice pour trouver le prix d'un CD, celui d'un DVD et celui d'une étiquette.

Observe la place de la virgule quand tu divises un nombre décimal par 10, 100 ou 1 000.

Rédige la règle qui indique comment diviser un nombre décimal par 10, 100 ou 1 000.

Mémo

Pour multiplier un nombre décimal par 10, 100 ou 1 000, on déplace la virgule de 1, 2 ou 3 rangs vers la droite : 3,92 × 10 = 39,2 ; 3,92 × 100 = 392 ; 3,92 × 1 000 = 3 920.

Pour diviser un nombre décimal par 10, 100 ou 1 000, on déplace la virgule de 1, 2 ou 3 rangs vers la gauche : 39,2 : 10 = 3,92 ; 39,2 : 100 = 0,392 ; 39,2 : 1 000 = 0,0392.

S'exercer, résoudre

Banque d'exercices et de problèmes nos 18 à 22 p. 113.

1) Effectue sans poser les opérations.

a. 1,54 × 10   ;   10 × 2,65   ;   3,1 × 100   ;   23,05 × 1 000   ;   0,75 × 1 000

b. 15,6 : 10   ;   6,2 : 10   ;   906,5 : 100   ;   9,4 : 100   ;   45,9 : 1 000

2) Parmi les résultats proposés, trouve chaque fois la réponse exacte.

a. 1,9 × 100 = ?   19   1 900   190

b. 0,006 × 10 = ?   6   0,06   0,6

c. 87,5 : 10 = ?   8,75   0,875   875

d. 6,3 : 100 = ?   0,063   0,0063   0,63

3) Recopie et complète.

a. 101,8 × … = 1 018   ;   … × 37,2 = 3 720   ;   7,56 × … = 75,6

b. 98 500 : … = 98,5   ;   … : 10 = 69,12   ;   7 : … = 0,007

4) Utilise les produits déjà effectués pour trouver les autres sans poser les opérations.

a. 17 × 8 = 136   1,7 × 8   0,17 × 8   0,017 × 8

b. 94 × 19 = 1 786   9,4 × 19   94 × 0,19   0,94 × 19

c. 96 : 4 = 24   96 : 40   96 : 400   96 : 4 000

5) Les parents d'Oscar achètent une tondeuse à gazon. Ils choisissent de payer cet achat en dix versements de 60,95 € avec un apport initial de 95,50 €.

Quelle somme totale les parents d'Oscar vont-ils dépenser pour payer cette tondeuse ?

6) Avant l'ouverture de la saison touristique, le gérant d'un hôtel passe une commande de linge pour son établissement.

Observe le bulletin de commande et complète-le.

Article	Quantité	Prix unitaire	Total
Serviettes de toilette	100	7,80 €	…… €
Serviettes de bain	…	12,99 €	129,90 €
Gants de toilette	10	3,08 €	…… €
Draps	10	…… €	485,00 €
Nappes rondes	100	…… €	4 750,00 €
		Total à payer	…… €

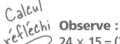

Observe :

24 × 15 = (24 × 10) + moitié de (24 × 10) = 240 + 120 = 360

Calcule.

32 × 15   ;   26 × 15   ;   18 × 15   ;   44 × 15   ;   36 × 15

Le coin du chercheur

Quelles lignes de la figure verte dois-tu effacer pour obtenir la figure rouge ?

43 Problèmes : lire et interpréter un graphique

Compétences : Lire et interpréter un graphique.

Calcul mental

Nombre de dixièmes dans...

2,45 ?, ...

Lire, chercher

Voici divers documents que l'on peut trouver sur le site officiel de la tour Eiffel
http://www.tour-eiffel.fr

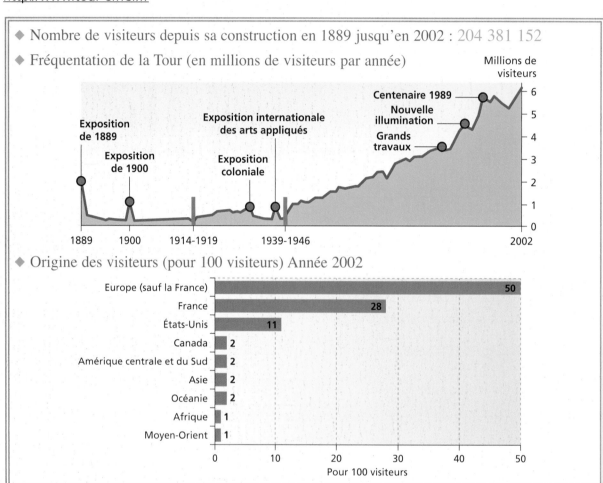

◆ Nombre de visiteurs depuis sa construction en 1889 jusqu'en 2002 : 204 381 152

◆ Fréquentation de la Tour (en millions de visiteurs par année)

◆ Origine des visiteurs (pour 100 visiteurs) Année 2002

A Observe le graphique de **la fréquentation de la Tour**.
• Que peut-on constater rapidement ?
• Combien de personnes environ ont visité la tour Eiffel en 1900 ?

B Depuis 1989, combien de visiteurs la tour Eiffel reçoit-elle, environ, par an ?
• Que représentent les deux traits verts verticaux ?
• Quelle est l'influence des grands événements qui se sont déroulés à Paris
sur la fréquentation de la tour Eiffel ?

C Observe le graphique de **l'origine des visiteurs**.
Sur 100 visiteurs, combien sont des Européens non français ?
Exprime cela sous la forme d'une fraction simple.

D • Combien de visiteurs la tour Eiffel a-t-elle reçus en 2002 ?
• Combien étaient européens non français ?
• Combien d'Africains ont visité la tour Eiffel en 2002 ?

S'exercer, résoudre

Banque d'exercices et de problèmes n° 23 p. 113.

1) Les graphiques ci-dessous donnent les moyennes de températures et de hauteurs de pluie relevées à Ajaccio, en Corse, au cours de l'année dernière.

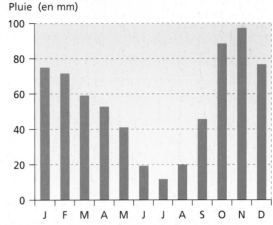

a. Quels sont les deux mois les plus chauds à Ajaccio ? Quel est le mois le plus pluvieux ?

b. Quels sont les mois où la température est inférieure à 15 °C ?

c. Quel mois est-il tombé 40 mm de pluie ?

2) En automobile, on ne s'arrête pas dès que l'on appuie sur la pédale de frein. Entre le moment où surgit l'obstacle et l'instant où l'on s'arrête, le véhicule parcourt une distance, appelée distance d'arrêt, comme le montrent ces graphiques.

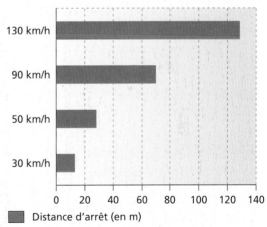

a. Quel graphique permet de mieux se rendre compte que la distance d'arrêt dépend de la vitesse ? Quel est le plus précis ?

b. Quelle est la distance d'arrêt lorsqu'on roule à 50 km/h ? À 130 km/h ?

c. Quel graphique permet de connaître la distance d'arrêt à n'importe quelle vitesse ? Quelle est cette distance lorsqu'on roule à 70 km/h ?

d. Cette distance peut doubler si le conducteur a bu de l'alcool. Dans ce cas, quelle est la distance d'arrêt à 130 km/h ?

Calcul réfléchi

Trouve la consigne, puis écris les 8 nombres suivants.

1,005 ; 1,004 ; 1,003 ; ...

Le coin du chercheur

Comment, à l'aide de deux bidons, l'un d'une contenance de 5 litres et l'autre de 3 litres, peut-on mesurer une quantité de 4 litres ?

Compétences : Comparer des angles, les reproduire.

Lire, débattre

Au handball, il est plus facile de marquer un but
de la position A que de la position B.
Pourquoi ?

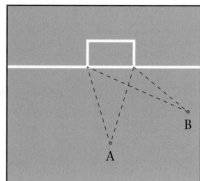

Chercher

A Utilise une équerre pour comparer ces angles à l'angle droit.

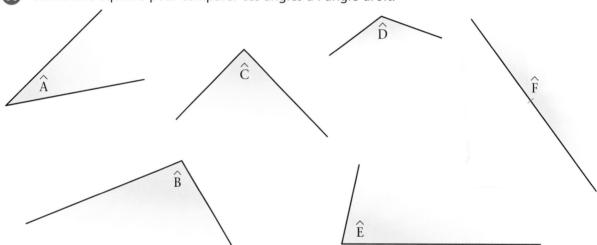

- Angle plus petit que l'angle droit (aigu) : $\widehat{A}$, …
- Angle droit : …
- Angle plus grand que l'angle droit (obtus) : …

N'utilise pas la longueur
des côtés pour comparer
les angles.

B Compare l'angle $\widehat{B}$ et l'angle $\widehat{D}$. Tu peux utiliser du papier-calque.

a. Quel est le plus grand ?

b. Reproduis ces deux angles sur ton cahier.

C Reproduis l'angle $\widehat{A}$ sur ton cahier en utilisant un gabarit.

Mémo

Sommet de l'angle ————

Côtés de l'angle

Angle

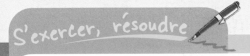 S'exercer, résoudre

Banque d'exercices et de problèmes nᵒˢ 24 et 25 p. 113.

1) Quel est l'angle le plus grand ?

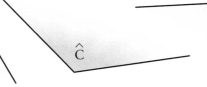

2) Compare ces angles et range-les du plus grand au plus petit.

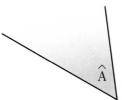
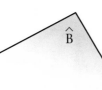

3) Reproduis les angles $\widehat{A}$ et $\widehat{B}$ sur ton cahier en utilisant du papier-calque ou un gabarit.

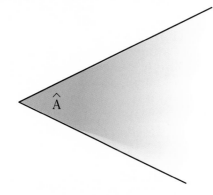
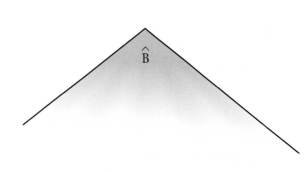

4) Trace un triangle ABC. L'angle $\widehat{A}$ est obtus. Le côté AB mesure 3 cm, le côté AC mesure 5 cm.

5) **a.** Dessine un triangle ABC sur une feuille.

b. Partage-le en trois parties comme sur le dessin et découpe-les.

c. Colle les trois morceaux en faisant coïncider les sommets et en plaçant les angles côte à côte. Que constates-tu ?

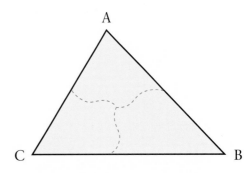

Calcul réfléchi

Observe : 2,75 + 0,25 = 2 + 1 = 3

$\underbrace{\qquad}_{1}$

Calcule.

a. 1,75 + 0,25
3,25 + 0,75

b. 5,75 + 0,25
5,25 + 0,75

Le coin du chercheur

Avec son arc, Diane tire 60 flèches. Elle tire la première à midi et continue de tirer une flèche toutes les minutes. À quelle heure tire-t-elle la dernière ?

45 La multiplication posée : produit d'un décimal par un entier

Compétence : Maîtriser l'algorithme de la multiplication d'un décimal par un entier.

Comprendre

Le comité des fêtes du village organise un marathon.
Le circuit mesure 3,125 km. Les concurrents doivent effectuer 13 tours.
Quelle distance parcourent-ils ?

a. Observe et termine les calculs de Bastien et ceux de Célia.

3,125 km = (3,125 × 1 000) m
= 3 125 m
Je sais effectuer 3 125 × 13.
C'est ... m ou ... km.

3,125 c'est 3 125 millièmes
Je vais donc multiplier 3 125 par 13,
puis je diviserai le résultat
par 1 000...

```
  3, 1 2 5  ──── × 1 000 ──→      3 1 2 5
×       1 3                    ×       1 3
  ─────────                      ─────────
  9 3 7 5                        9 3 7 5
3 1 2 5 0                      3 1 2 5 0
  ─────────                      ─────────
. . . . .  ←──── : 1 000 ────   . . . . .
```

Pendant les calculs,
ne tiens pas compte
de la virgule. Place-la
quand tu as fini.

b. Vérifie avec la calculatrice.

c. Nestor a abandonné à la fin du neuvième tour. Combien de kilomètres a-t-il parcourus ?

S'exercer, résoudre

Banque d'exercices et de problèmes nos 26 à 29 p. 11

1) Pour calculer les produits suivants, utilise le résultat : **36 × 54 = 1 944**
3,6 × 54   ;   36 × 0,54   ;   36 × 5,4   ;   0,36 × 54   ;   36 × 0,054

2) Pose, puis effectue.
8,79 × 6   ;   1,465 × 9   ;   23,47 × 5   ;   95,87 × 4

3) Pose, puis effectue les multiplications ci-dessous. Vérifie les résultats avec la calculatrice.
a. 87,4 × 8 ; 6,725 × 4 | **b.** 30,7 × 36 ; 48 × 65,18 | **c.** 3,409 × 27 ; 2,15 × 56.

4) Effectue.
0,9 × 27   ;   32 × 0,45   ;   174 × 0,16   ;   64 × 0,25

5) Jade veut décorer un meuble en collant une baguette en bois
sur les parties indiquées en rouge sur le schéma.

a. Quelle est la longueur de baguette nécessaire ?

b. Combien de baguettes de 2 m Jade doit-elle acheter ?

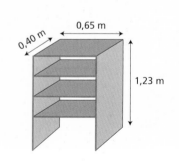

0,65 m
0,40 m
1,23 m

Mémo

```
   7, 9 ┐
 ×    6 │
 ─────── │
 4 7, 4 ←┘
```

```
   3, 7 5 ┐
 ×     3 2 │
 ───────── │
     7 5 0 │
 1 1 2 5 0 │
 ───────── │
 1 2 0, 0 0 ←┘
```

```
   4, 3 2 5 ┐
 ×       7 │
 ─────────── │
 3 0, 2 7 5 ←┘
```

Calcul réfléchi : produit d'un décimal par un entier

Compétence : Calculer en ligne le produit d'un nombre décimal par un entier.

Comprendre et choisir

4 × 1,2 est supérieur à 4.
4 × 0,8 est supérieur à 4.

Tu as raison, car tu multiplies !

Pas si sûr...

Termine les calculs sans poser les opérations.

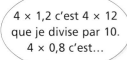 

4 × 1,2 c'est 4 × 12 que je divise par 10.
4 × 0,8 c'est...

4 × 1,2 c'est 4 fois 12 dixièmes. Donc 48 dixièmes, ce qui fait...

Laure et William ont-ils raison ?

S'exercer, résoudre

Banque d'exercices et de problèmes nº 30 p. 114.

1) Sans poser les opérations, recopie les produits inférieurs à 6.
6 × 1,2 ; 0,8 × 6 ; 6 × 0, 5
0,1 × 6 ; 6 × 2,02 ; 0,9 × 6

2) Calcule sans poser les opérations.
0,6 × 5 ; 0,9 × 9
7 × 0,2 ; 0,8 × 10

3) Calcule sans poser les opérations.
1,7 × 5 ; 1,8 × 4 ; 2,5 × 9
4,2 × 7 ; 5,4 × 8 ; 3,6 × 3

4) Calcule sans poser les opérations.
52 × 0,02 ; 4,21 × 3
0,08 × 6 ; 5 × 1,42

5) Suzy achète 6 pots de crème et 3 boîtes de soupe de poissons.
a. Quelle est la masse de ses achats ?
b. Quelle est sa dépense ?

Crème fraîche 0,2 kg — 1,20 €

Soupe de poissons 1,4 kg — 2,60 €

Réinvestissement
Range ces angles du plus grand au plus petit.

Â B̂ Ĉ

Le coin du chercheur

Complète ce sudoku.

1			
2	3		
4			
			4

Compétences : Connaître et utiliser les formules du calcul du périmètre du carré et du rectangle.

Lire, débattre

J'ai fait trois tours de terrain, ça fait plus d'un km !

Moi, je crois que tu te vantes !

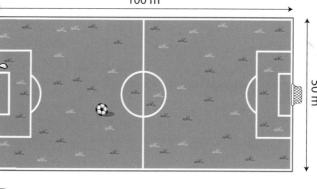

100 m

50 m

Chercher

A Un éleveur veut entourer ce pré rectangulaire d'une clôture électrique.

a. Quelle longueur de clôture lui faut-il ?

b. Trouve plusieurs manières de calculer le périmètre de ce rectangle.

c. Compare tes réponses à celles de tes camarades.

35 m

18 m

d. Trouve une formule qui permet de calculer le périmètre d'un rectangle.

B Il veut entourer aussi un pré carré de 30 m de côté.

a. Quelle longueur de clôture lui faut-il ?

b. Trouve une formule qui permet de calculer le périmètre d'un carré.

C Il lui a fallu 400 m de clôture pour entourer un champ carré. Quelle est la longueur du côté du carré ?

D Louis trace un rectangle de 25 mm de largeur et 5 cm de longueur. Calcule son périmètre.

Mémo

N'oublie pas d'exprimer les mesures dans la même unité.

Périmètre d'un rectangle

périmètre = (longueur + largeur) × 2

32 m

24 m

P = (32 + 24) × 2

Périmètre d'un carré

32 m

32 m

périmètre = côté × 4

P = 32 × 4

côté du carré = périmètre divisé par 4

S'exercer, résoudre

1) Un carreau du carrelage de la salle de séjour de Manuel est un carré de 30 cm de côté.
Quel est le périmètre de ce carreau ?

2) Mesure, en mm, la longueur et la largeur d'une feuille de papier A4.
Calcule son périmètre.

3) Complète ces tableaux.

a.

Carré	①	②
côté	25 m	...
périmètre	...	8 m

b.

Rectangle	①	②
1er côté	34 cm	20,5 cm
2e côté	45 cm	24,5 cm
demi-périmètre	...	...
périmètre	...	...

4) On installe une grille de protection à 3 m tout autour de cette piscine.

Quelle est la longueur de la grille ?

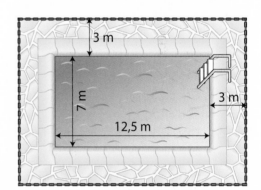

3 m

7 m

3 m

12,5 m

5) Pour recevoir ses amis, Éva possède 4 tables rectangulaires de 80 cm de long et 60 cm de large.
Elle cherche plusieurs dispositions. En voici quelques-unes.

60 cm

80 cm

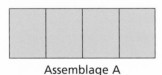

Assemblage A

Assemblage B

a. Calcule le périmètre d'une table.

b. Trouve le périmètre de chacun des assemblages A et B.

c. Pour placer le plus grand nombre d'invités, quelle disposition Éva doit-elle choisir :
• 4 tables séparées ?
• l'assemblage A ?
• l'assemblage B ?

Le coin du chercheur

Depuis la naissance de Charles, chaque année, pour son anniversaire, ses parents lui offrent un gâteau avec le nombre de bougies correspondant à son âge. Ils ont calculé que, depuis sa naissance, ils lui ont offert 105 bougies.

Quel est l'âge de Charles ?

Réinvestissement

Pose et effectue.

$12,5 \times 41$; $35,41 \times 9$; $0,84 \times 25$

Compétence : Réinvestir les fractions et les décimaux dans les mesures de longueurs.

Lire, débattre

J'habite à 200 m de l'école.

Moi, à 0,5 km.

Et moi à un quart de km !

Comment savoir qui habite le plus près ?

Chercher

Tu sais comparer des décimaux, tu sais donc comparer des longueurs !

A Mon chargement mesure 3 m 6 cm de haut. Est-ce que je peux passer ?

3.5 m

Le Bourg 1 500 m

Nancel 200 m

B **a.** Écris les distances indiquées sur ces panneaux en km :
– sous la forme d'un nombre décimal ;
– sous la forme d'une fraction de km.

b. Quelle distance, en km, sépare ces deux villages ?

> **Grand Prix d'Europe**
> Circuit du Nürburgring : 5,148 km
> 60 tours

C Quelle est la longueur de cette course de F1 qui a lieu en Allemagne ?

Mémo

Multiples			Unité	Sous-multiples		
kilomètre	hectomètre	décamètre	mètre	décimètre	centimètre	millimètre
km	hm	dam	m	dm	cm	mm
3	2	0	0			
			2	4	5	1

$\frac{1}{2}$ km = 500 m

$\frac{1}{4}$ km = 250 m

1 cm = $\frac{1}{100}$ m = 0,01 m

1 mm = $\frac{1}{1\,000}$ = 0,001 m

3,2 km = 3 200 m   2,451 m = 2 451 mm

S'exercer, résoudre

Banque d'exercices et de problèmes nos 31 à 33 p. 114.

1) La voiture neuve d'oncle Paul mesure 4,731 m. Peut-elle entrer dans son garage qui mesure 4 m 90 cm ?

2) Complète.

a. 0,1 cm = ... mm ; 12,2 cm = ... mm ; 2,9 m = ... cm ; 2,14 km = ... m

b. $\frac{3}{100}$ m = ... cm ; $\frac{1}{4}$ m = ... cm ; $\frac{1}{5}$ m = ... cm ; $\frac{2}{10}$ cm = ... mm

3) Écris en mètres.

10 cm   125 mm   82 cm   10 cm 5 mm   1 251 mm   138 cm

4) Recopie et complète selon l'exemple.

Longueur en cm	25	...	75	...	1	...
Écriture fractionnaire en m	$\frac{1}{4}$	$\frac{1}{5}$	...	$\frac{1}{10}$	...	$\frac{12}{10}$
Écriture décimale en m	0,25	...	...	...	...	...

5) Calcule en mètres.

a. 1,25 m + 72,1 cm + 8 mm ; b. 2,300 km + 6 km + 230 m

> Je sais aussi multiplier un décimal par un entier...

6) Adrien mesure le terrain de sport.
Pour la longueur, il reporte 5 fois le double décamètre et mesure encore 15 m.
Pour la largeur, il reporte 3 fois le double décamètre et mesure encore 3 m.

a. Quelles sont les dimensions de ce terrain ?

b. Quel est son périmètre ?

c. Adrien en fait 3 fois le tour. Quelle distance parcourt-il ?

7) Nathalie habite à 1 km 450 m de l'école.
Elle effectue 40 fois le trajet en un mois.

Quelle distance parcourt-elle ?

Calcul réfléchi

Observe : 0,5 × 3 c'est 3 fois 5 dixièmes,

donc $\frac{15}{10}$ et c'est égal à 1,5.

Calcule.

0,5 × 5 ; 0,05 × 3 ; 0,5 × 7 ; 0,05 × 5 ; 0,5 × 6

Le coin du chercheur

Dans un parc, Marco aperçoit des hommes et des chevaux.
Il compte 9 têtes et Fanny 24 pieds.
Quel est le nombre d'hommes ?
Le nombre de chevaux ?

Compétences : Calculer le périmètre d'un polygone.
Différencier aire et périmètre.

Somme de dizaines entières.

240 + 690 ; …

Lire, débattre

Prend-on le sentier vert, autour du parc, ou le bleu ?

Le bleu est peut-être plus court, car le bassin est plus petit que le parc !

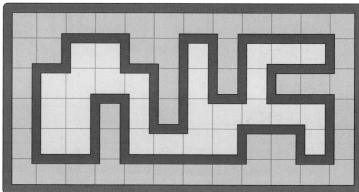

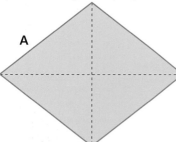

Moi, je l'ai trouvé bien long ce chemin !

6 cm

10 cm

T

8 cm

Chercher

Les trois polygones A, B et C sont obtenus en assemblant quatre triangles superposables au triangle T ci-contre.

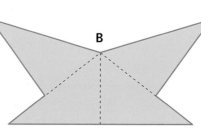

A

B

C

A Calcule le périmètre de chacun de ces polygones.
Range-les dans l'ordre croissant de leurs périmètres.

B Compare les aires de chacun de ces polygones.

C Les affirmations suivantes sont-elles toujours vraies ?
• Plus le périmètre d'un polygone est grand, plus son aire est grande.
• Deux figures qui ont des aires égales ont des périmètres égaux.

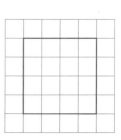

D Reproduis ce carré, puis trace un rectangle de même périmètre.
Compare l'aire de ces deux figures.

Mémo

Deux figures qui ont le même périmètre n'ont pas toujours la même aire.

Deux figures qui ont la même aire n'ont pas toujours le même périmètre.

S'exercer, résoudre

Banque d'exercices et de problèmes n°s 34 et 35 p. 114.

1) Calcule le périmètre de ce triangle isocèle.

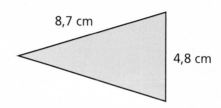

8,7 cm

4,8 cm

2) Calcule le périmètre d'une classe rectangulaire de longueur 7,28 m et de largeur 4,94 m.

3) La place centrale d'une ville nouvelle a la forme
d'un triangle équilatéral. Son périmètre mesure 291 m.
Calcule la longueur de ses côtés.

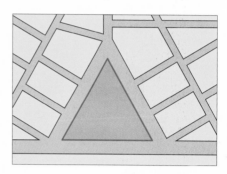

4) Calcule le périmètre :

a. des figures Ⓐ et Ⓑ ;

b. de la figure obtenue lorsqu'on les assemble.

c. Ce périmètre est-il égal à la somme
des périmètres des figures Ⓐ et Ⓑ ?

d. L'aire de la figure obtenue est-elle égale
à la somme des aires des figures Ⓐ et Ⓑ ?

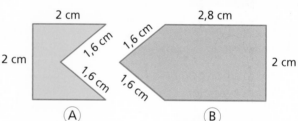

2 cm   2,8 cm

2 cm   1,6 cm 1,6 cm   2 cm

1,6 cm 1,6 cm

Ⓐ   Ⓑ

5) **a.** Quelle est l'aire de la figure ci-contre ?
Quel est son périmètre ?

b. Trace un rectangle de même aire dont
le périmètre est égal à la moitié de celui
de cette figure.

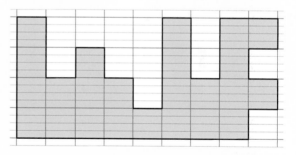

6) **a.** Trace un cercle de centre O et de rayon OA 4,5 cm.
Utilise ton compas pour tracer un hexagone régulier
ABCDEF dont les sommets sont sur le cercle.

b. Calcule le périmètre de cet hexagone.

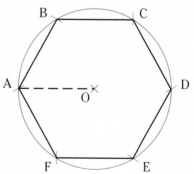

Calcul
réfléchi   Observe :   **12,75 + 6,25 = 18 + 1 = 19**

1

a. 1,25 + 9,75
14,75 + 6,25

b. 13,50 + 5,25
8,50 + 11,50

c. 9,50 − 4,25
15,25 − 4,25

Le
coin du
chercheur

Avec 9 bûchettes identiques,
forme 5 triangles équilatéraux.

Calcul mental

Chercher le quotient.
24 : 6, ...

Compétence : Maîtriser l'algorithme de la multiplication d'un décimal par un décimal.

Comprendre

A Justine pose et effectue la multiplication **7,62 × 16,5**.

a. Observe ses calculs.

→ Elle effectue la multiplication sans tenir compte des virgules.

→ Elle place la virgule au résultat.

→ Pourquoi a-t-elle écrit ce résultat avec trois chiffres après la virgule ?

```
        7 6 2              7, 6 2
    ×   1 6 5          ×   1 6, 5
      3 8 1 0            3 8 1 0
    4 5 7 2 0          4 5 7 2 0
    7 6 2 0 0          7 6 2 0 0
  1 2 5 7 3 0        1 2 5, 7 3 0
```

b. Vérifie ses calculs avec ta calculatrice. Que remarques-tu ?

c. Sans poser d'opération, trouve le résultat de 76,2 × 16,5 puis celui de 76,2 × 1,65.

B À ton tour, calcule : 26,57 × 7,8, puis 3,09 × 0,4.

J'effectue l'opération sans m'occuper de la virgule, puis je compte combien il y a de chiffres après la virgule.

S'exercer, résoudre

Banque d'exercices et de problèmes n° 36 p. 114

1) Les chiffres des résultats sont exacts, mais on a oublié les virgules ! Place-les.

4,75 × 1,5 = 7125   87,5 × 0,35 = 30625   9,18 × 3,4 = 31212

27,6 × 36,9 = 101844   2,8 × 0,42 = 1176   4230 × 0,6 = 25380

2) Pose et effectue.

a. 9,87 × 2,3   952 × 0,8   4,35 × 20,8

b. 1,48 × 6,5   12,5 × 6,4   313 × 6,07

3) Un litre d'huile pèse 0,9 kg.

Quelle sera la masse d'un bidon de 2,5 L d'huile si le bidon vide pèse 750 g ?

4) Charline achète un rôti de 1,1 kg ; Lucas, un rôti de 0,5 kg (ou 500 g) et Gaston, un rôti de 2,2 kg.

a. Sans poser d'opération indique :

– qui va payer moins de 10 € ;

– qui va payer plus de 20 €.

b. Calcule ensuite combien chacun d'eux va payer.

13,75 € le kilo

Compétence : Élaborer une démarche originale pour résoudre des problèmes de logique.

Chercher, argumenter

● **À toi de chercher seul ou avec ton équipe.**

> Tony est plus grand que Boris, que Mélina et que Coraline.
> Boris est plus grand que Mélina.
> Coraline est plus grande que Boris et Mélina.
> Denis est plus grand que Boris et Tony.
> Range ces enfants dans l'ordre croissant de leur taille.

● **Voici la méthode de Naïma.**
Elle écrit les prénoms sur des bouts de papier.

TONY   BORIS   MÉLINA   CORALINE   DENIS

Elle lit et elle range les prénoms au fur à mesure.

TONY   BORIS   MÉLINA

Continue avec CORALINE . Termine avec DENIS .

a. As-tu fait comme elle ?

b. As-tu trouvé le même rangement ?

● **Voici la méthode de Paul.**

Il a dessiné un schéma sur une feuille.
La flèche signifie « … **est plus grand que**… ».

a. Explique ce schéma à tes camarades.
Reproduis-le en dessinant toutes les flèches.

b. Écris le rangement. Est-ce le même que le tien ?

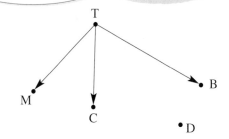

> Tu as découvert des outils pour résoudre des problèmes de logique.

T
M   C   B
D

S'exercer, résoudre

Banque d'exercices et de problèmes n°s 37 et 38 p. 114.

1) Samuel est plus farceur que José mais moins farceur que Ouassila.
Antoine est plus farceur que Ouassila mais moins farceur que Karim.

Range ces enfants du plus farceur au moins farceur.

2) Zoé est plus âgée que Lucette. Armande est née avant Pierrette ; elle est aussi plus jeune que Lucette.

Range ces quatre amies de la plus jeune à la plus âgée.

Mobilise tes connaissances !

Le viaduc autoroutier de Millau

Compétence : Maîtriser l'ensemble des connaissances et des savoir-faire pour interpréter des documents et résoudre des problèmes complexes.

Sur Internet, nous avons consulté le site du viaduc de Millau qui est le pont haubané le plus haut du monde. Situé sur l'autoroute A75, il enjambe la vallée du Tarn, à proximité de la ville de Millau, dans les Causses. Il permet ainsi de relier Paris au Sud de la France en traversant le Massif central.

http://www.viaducdemillau.com

Le viaduc en chiffres

343 m : record mondial de hauteur
87 m : hauteur d'un pylône
154 : nombre de haubans
4,20 m : épaisseur du tablier
32,05 m : largeur du tablier
85 000 m³ : volume total du béton
6 000 tonnes : poids total de la charpente métallique.

Hauteur des piles

P1 : 94,50 m
P2 : 244,96 m
P3 : 221,05 m
P4 : 144,21 m
P5 : 136,42 m
P6 : 111,94 m
P7 : 77,56 m

Le tablier du pont comporte huit travées au total (six de 342 m et deux de 204 m) reposant sur 7 piles et soutenues par des haubans fixés à 7 pylônes d'environ 90 m de hauteur chacun. La base des piles a une aire au sol de 200 m⁻ et 30 m⁻ sous le tablier.

Combien de haubans sont accrochés à chaque pylône pour soutenir ce tablier ?

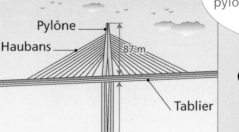

Pylône
Haubans
87 m
Tablier
Pile n° 4
144,21 m

Range les piles du pont de la plus haute à la moins haute.

Quelle est la masse, en kilogrammes, de la charpente métallique ?

Quelle est la longueur du tablier de ce viaduc ?

Un mètre cube de béton pèse, environ, 2 400 kg. Calcule, en tonnes, la masse du béton utilisé pour ce pont.

Calcule, sans poser d'opération, les différences de tarif entre un véhicule léger et les trois autres.

Le chauffeur d'un poids lourd de 19 tonnes effectue deux aller-retour par jour. Combien va-t-il dépenser en péage en 23 jours de travail ?

Un autre grand pont à haubans
Le pont de Normandie

Inauguré le 20 Janvier 1995, le pont de Normandie a une travée centrale de 856 m de portée, record du monde pour un pont à haubans.

Tarifs (coût par passage)	
Classe 1 : véhicule léger	5,00 €
Classe 2 : camping-car	5,80 €
Classe 3 : P.L. (poids lourd)	6,30 €
Classe 4 : P.L. > 24 T ou car > 29 places	12,50 €

Écris la longueur de ces ponts à 100 m près. Tu as calculé la longueur du Viaduc de Millau. À quel rang se trouve-t-il si on range les ponts français d'après leur longueur ?

Les plus grands ponts français

Année de construction

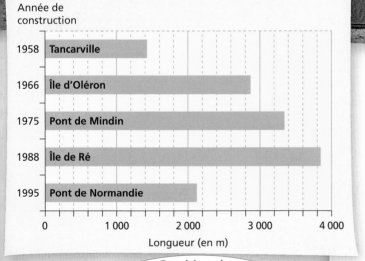

Longueur (en m)

- 1958 Tancarville
- 1966 Île d'Oléron
- 1975 Pont de Mindin
- 1988 Île de Ré
- 1995 Pont de Normandie

Le trafic sur le pont de Normandie

Répartition du trafic mensuel sur l'année 2003

Nombre de véhicules

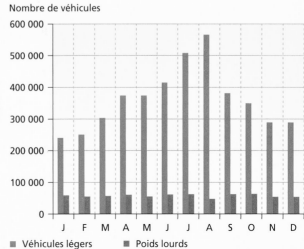

J F M A M J J A S O N D

■ Véhicules légers   ■ Poids lourds

CCI du Havre, Direction des Infrastructures et Équipements.

Combien de véhicules circulent en moyenne sur le pont de Normandie en janvier ? En juillet ? Quel mois le trafic routier pour les véhicules légers est-il le plus important ? En est-il de même pour les poids lourds ?

Fais le point (3)

■ Nombres

- Comparer, ranger les nombres décimaux.
- Intercaler un nombre entre deux décimaux.
- Produire des suites écrites de nombres.

		A	B	C	Aide
1	Quel est le plus grand nombre ?	9,2	8,92	9,18	**Leçon 36** Mémo *(p. 82)* Exercices 2, 3 et 4 *(p. 83)*
2	Range par ordre croissant : 5,5 5 5,05 0,55	5 5,5 0,55 5,05	5,5 5,05 5 0,55	0,55 5 5,05 5,5	
3	Quel nombre est compris entre 1,36 et 1,37 ?	1,360	1,38	1,367	
4	Quel est le nombre suivant ? 12,97 ; 12,98 ; 12,99…	12,100	20	13	

■ Grandeurs et mesures

- Mesurer l'aire d'une surface par un encadrement
- Comparer des angles.
- Connaître et utiliser les unités usuelles de mesures et les relations qui les lient.
- Calculer le périmètre d'une figure.

		A	B	C	Aide
5	Le carreau est l'unité d'aire. L'aire de cette figure est comprise entre 12 **u** et 14 **u**.	Vrai	Faux	Je ne sais pas	**Leçon 38** Mémo *(p. 86)* Exercices 1 et 2 *(p. 87)*
6	Range ces angles du plus grand au plus petit.	$\widehat{A} > \widehat{B} > \widehat{C}$	$\widehat{A} > \widehat{C} > \widehat{B}$	$\widehat{B} > \widehat{C} > \widehat{A}$	**Leçon 44** Exercices 1 et 2 *(p. 97)*
7	Un terrain de football mesure 48,5 m de large sur 93,7 m de long. Quel est son périmètre ?	284,4 m	142,2 m	187,4 m	**Leçon 47** Mémo *(p. 100)* Exercices 2 et 3 *(p. 101)*
8	0,75 m c'est égal à…	75 m	75 cm	75 mm	**Leçon 48** Mémo *(p. 102)* Exercices 1, 2 et 3 *(p. 103)*
9	3,4 cm c'est égal à…	340 mm	3,4 mm	34 mm	
10	Quelles sont les dimensions de cette image ?	largeur : 14 cm longueur : 4,5 cm	largeur : 1,4 cm longueur : 4,6 cm	largeur : 1,4 cm longueur : 4,5 cm	

Géométrie

- Vérifier la nature d'une figure en ayant recours aux instruments.

			A	B	C	Aide
11	Trouve la couleur du triangle rectangle.		vert	jaune	marron	**Leçon 37** Mémo *(p. 84)* Exercices 1 et 2 *(p. 85)*
	Trouve la couleur du triangle isocèle.		rose	jaune	bleu	

Calcul

- Organiser et effectuer mentalement un calcul sur les nombres décimaux.
- Poser et effectuer une addition, une soustraction de décimaux.
- Multiplier ou diviser un décimal par 10, 100, 1 000.
- Poser et effectuer une multiplication de nombres entiers ou décimaux.

			A	B	C	Aide
12	Sans poser l'opération, calcule :	**a.** 5,7 + 1,3	7	6,10	16	**Leçon 39** Mémo *(p. 88)*
13		**b.** 6,8 – 5,5	1,8	1,3	0,3	
14	Pose et effectue :	**a.** 17,2 + 48 + 10,56	127,6	7 576	75,76	**Leçon 40** Chercher *(p. 89)*
15		**b.** 614 – 432,46	181,54	182,46	182,54	
16	Quel est le résultat de 98,2 × 100 ?		982	9 820	98 200	**Leçon 42** Mémo *(p. 92)* Exercices 1 et 3 *(p. 93)*
17	Quel nombre complète cette égalité ? … : 100 = 0,182		182	18,2	1,82	
18	Pose et effectue :	**a.** 93,54 × 27	252 558	2 525,58	2 728,58	**Leçons 45 et 50** Mémo *(p. 98-106)*
19		**b.** 9,05 × 3,8	34,39	34 390	343,9	

Problèmes

- Résoudre des problèmes relevant des quatre opérations.
- Résoudre des problèmes dont la résolution implique des conversions.

		A	B	C	Aide
20	Bastien achète une baguette de pain à 0,85 € et un croissant 0,70 €. Il paie avec un billet de 5 €. Combien lui rend-on ?	4,15 €	3,55 €	3,45 €	**Leçon 40** Exercice 3 *(p. 89)*
21	Aziz pèse les objets contenus dans son cartable : 935 g pour les cahiers, 2 kg 75 g pour les livres, 0,25 kg pour la trousse. Son cartable vide pèse 2 kg 150 g. Quelle est sa masse lorsqu'il est plein ?	6,085 kg	5,410 kg	5,860 kg	**Leçon 48** Mémo *(p. 102)* Exercice 5 *(p. 103)*

Leçon 36

1 Observe la droite numérique, puis complète les réponses.

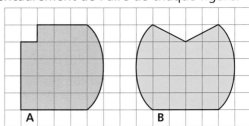

a. Écris le signe qui convient : < , > ou = .

4,2 ... 4, 20 ;   4,17 ... 4,15
4,19 ... 4,2 ;   4,21 ... 4,2.

b. Place un nombre décimal dans chaque intervalle.

4,15 < ... < 4,16 ;   4,18 < ... < 4,19 ;
4,2 < ... < 4,21

2 Range les nombres selon l'ordre croissant.

2,85 ;   2,9 ;   1,9 ;   3 ;   2,8

3 Écris le signe qui convient : < , > ou =.

1,7 ... 1,29 ;   1,09 ... 1,90
2,70 ... 2,7 ;   2,900 ... 2,09

4 Le sang d'une personne en bonne santé contient de 3,7 à 5,9 millions de globules rouges par millimètre cube (mm^3). Observe le bilan sanguin de trois patients.

	Globules rouges par mm^3
Mme Borel	4,8 millions
M. Henri	2,9 millions
Mme Rolin	5,1 millions

Qui n'est pas en bonne santé ?

5 Le tableau indique, pour quelques villes françaises, la superficie des espaces verts par habitant.

Villes françaises	Espaces verts en m^2 par habitant
Aix-en-Provence	3,4
Besançon	55,4
Brest	0,9
Le Havre	23,8
Limoges	19
Metz	18,5
Orléans	20,6
Perpignan	5,6
Rennes	24,4
Toulon	2,7

Dans quelles villes cette superficie est-elle :

a. supérieure à 20 m^2 ?

b. inférieure à 5 m^2 ?

c. comprise entre 5 m^2 et 20 m^2 ?

Leçon 37

6 **a.** Quels triangles de la figure ci-dessous. sont isocèle, équilatéral ou rectangle ?

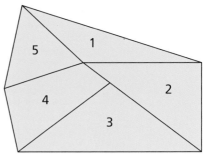

b. Comment le vérifies-tu ?

Leçon 38

7 L'aire d'un carreau est l'unité ; écris un encadrement de l'aire de chaque figure.

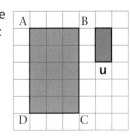

8 L'aire du rectangle ABCD mesure-t-elle :

a. 2,5 u ?

b. 5 u ?

c. 7,5 u ?

d. 10 u ?

e. 15 u ?

Leçon 39

9 Calcule sans poser les opérations.

a. 2,8 + 4,9 ;   14,5 + 7 ;   3,4 + 5,2

b. 6,2 – 2, 5 ;   16 – 4,5 ;   8,7 – 1,5

10 Complète.

8,8 + ... = 10 ;   8,6 + ... = 12

6,1 + ... = 11 ;   9,2 + ... = 13

11 Complète chaque suite en écrivant les trois nombres qui suivent.

a. 3,25 ;   3,15 ;   3,05 ...

b. 2,12 ;   2,14 ;   2,16 ...

c. 8,65 ;   8,80 ;   8,95 ...

Leçon 40

12 Pose et effectue les additions.

5,48 + 38 ; 18 + 3,7 + 1,78
1,5 + 2,73 + 6,102

13 Pose et effectue les soustractions.

3,6 – 2,75 ; 24 – 9,56 ; 108 – 24,9
1,08 – 0,54 ; 10,02 – 8,09

14 Lucas achète un cerf-volant à 19,50 € et une casquette à 7,70 €.

Il paie avec un billet de 50 €.

Combien le marchand lui rend-il ?

15 **a.** Lyon possède 1,71 km de pistes cyclables ; c'est 41,29 km de moins que Strasbourg.

Quelle est la longueur des pistes cyclables à Strasbourg ?

b. Montpellier possède 26 km des pistes cyclables ; c'est 25,4 km de plus que Tourcoing.

Quelle est la longueur des pistes cyclables à Tourcoing ?

Leçon 41

16 Trace un triangle isocèle ABC.
Le côté AB mesure 6 cm.
Les côtés AC et BC mesurent 5 cm.

17 Dessine un triangle rectangle ABC.
L'angle droit est en A.

a. Partage-le en deux triangles rectangles.

b. Comment nomme-t-on le segment que tu viens de tracer ?

Leçon 42

18 Calcule sans poser les opérations.

a.	**b.**
6,3 × 10	67,5 : 10
7,14 × 100	25,1 : 100
1,54 × 1 000	325,9 : 100
0,75 × 100	732 : 10

19 Complète.

a. 423 = ... × 100 | **b.** 3,23 = ... : 10
3,15 = 10 × ... | 43,4 = ... : 100

20 Multiplie les nombres ci-dessous par 10, 100 ou 1 000 pour obtenir le nombre entier le plus petit possible, selon l'exemple.
24,173 × 1 000 = 24 173
6 149,2 ; 30,12 ; 0,075

21 La galaxie NGC 2419 se trouve à 0,225 million d'années-lumière de la Terre.

Exprime cette distance en milliers d'années-lumière.

22 50 g de poivre coûtent 1,50 €.

Combien coûte 1 kg de poivre ?

Leçon 43

23 Quels sont à Tokyo :

a. les deux mois les plus humides ?

b. les deux mois les plus secs ?

c. les mois où la température dépasse 20 °C ?

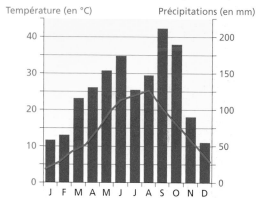

Leçon 44

24 **a.** Utilise un calque pour comparer les angles $\hat{A}$, $\hat{B}$ et $\hat{C}$.

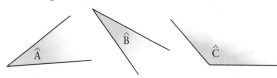

b. Range-les du plus grand au plus petit.

25 Range les angles de ce polygone du plus petit au plus grand.

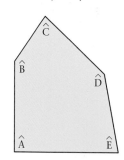

Banque d'exercices et de problèmes *(3)*

Leçon 45

26 Pose et effectue.

$1,28 \times 32$; $36,4 \times 35$

$2,09 \times 24$; $145 \times 0,26$

27 Les résultats des opérations sont exacts. On a oublié la virgule des nombres bleus. Place-la.

$84 \times 756 = 635,04$; $132 \times 41 = 54,12$

$72 \times 552 = 3\,974,4$; $630 + 396 = 633,96$

28 Le Danemark a 67,7 km de frontière terrestre. La France en possède 44 fois plus.

Quelle est la longueur des frontières terrestres de la France ?

29 Les astronomes utilisent l'unité astronomique (U.A.) pour mesurer les grandes distances. Une U.A. est égale à la distance Terre-Soleil, soit 150 millions de kilomètres. Voici, en U.A., les distances de quelques planètes au Soleil :

a. Quelles planètes sont plus éloignées du Soleil que la Terre ?

Jupiter	5,20 U.A.
Mars	1,52 U.A.
Mercure	0,39 U.A.
Vénus	0,72 U.A.

b. Calcule toutes ces distances en millions de kilomètres.

Leçon 46

30 Effectue sans poser les opérations.

$8,4 \times 5$; $7,04 \times 3$; $0,82 \times 4$; $0,02 \times 6$

Leçon 48

31 Complète les égalités.

$\frac{1}{2}$ m = ... cm ; $\frac{1}{4}$ m = ... cm

1 m et $\frac{1}{4}$ m = ... cm ; $\frac{3}{4}$ m = ... cm

32 Complète avec une fraction.

500 m = ... km ; 750 m = ... km

100 m = ... km ; 200 m = ... km

33 Le pas du géant Rastopoliof mesure 150 cm.

Écris cette distance en mètre :

a. sous la forme d'un nombre décimal ;

b. sous la forme d'une fraction.

Leçon 49

34 Le périmètre de ce triangle isocèle mesure 92,8 m.

Quelle est la longueur de chacun des deux autres côtés ?

24 m

35 Calcule le périmètre du polygone **A** obtenu en assemblant des rectangles superposables au rectangle bleu.

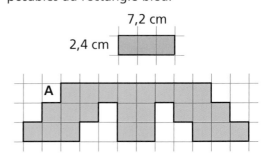

7,2 cm

2,4 cm

A

Leçon 50

36 Lucile fait les courses. Elle achète 0,250 kg de jambon et 0,320 kg de fromage.

Combien va-t-elle payer ?

13,10 € le kg

12,65€ le kg

Leçon 51

37 Armelle est née avant Myriam.

Béatrice est née avant Julie.

Béatrice et Julie sont plus jeunes que Myriam.

Écris les noms des quatre amies de la plus âgée à la plus jeune.

38 Cinq athlètes franchissent la ligne d'arrivée du 400 m haie masculin.

– Le Kenyan n'a pas gagné la course ;

– le Hongrois est avant-dernier ;

– le Suisse a précédé le Japonais ;

– le Brésilien n'est pas dans les trois premiers.

Range ces coureurs dans l'ordre d'arrivée.

Retrouve Mathéo la mascotte.
Cherche dans le dessin des détails illustrant
les notions étudiées dans cette période.

Période 4

	Leçons
• Utiliser les mesures de masses.	53
• Résoudre des problèmes relevant de la proportionnalité.	54, 57
• Tracer un graphique.	55
• Identifier et construire des solides.	56
• Calculer une division.	58, 66
• Reconnaître et tracer des angles.	59

	Leçons
• Calculer le périmètre du cercle.	60
• Identifier, tracer des quadrilatères.	61
• Calculer des durées.	62
• Tracer des figures symétriques.	63
• Mesurer des aires.	64
• Calculer l'aire d'un triangle.	65
• Résoudre des problèmes.	67, 68

Compétences : Convertir des mesures de masse. Réinvestir les décimaux et les fractions.

Lire, débattre

Sous l'Ancien Régime, on utilisait les unités de masse suivantes :

> 1 livre (416 g) = 16 onces
> 1 marc = 8 onces
> 1 once = 8 gros
> 1 gros = 3 deniers

● Ce système de mesure n'était pas commode.

Pourquoi ?

● À partir de la Révolution, on a progressivement adopté le système décimal.

Quel est son intérêt ?

Dites-moi donc ! Mme Gavin, en v'la des inventions ! La fruitière au lieu de 4 onces de beurre, elle m'emberlificote avec des grammes ! Des filigrammes et des programmes !...

Illustration de Daumier.
Gravure du XIXe siècle.

Chercher

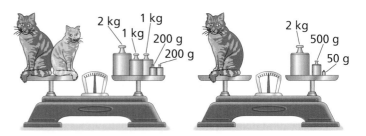

A Quelle est la masse de chaque chat ?

B **a.** Range ces animaux du plus lourd au plus léger.

b. Écris une fraction qui exprime, en tonnes, la masse d'un bœuf.

c. Écris un nombre décimal qui donne, en grammes, la masse d'un gobie d'eau douce.

d. À combien de gobies correspond la masse d'un roitelet ?

e. Un camion a une charge utile de 4,8 t. Combien de bœufs peut-il transporter ?

Animal	Masse
Chien	15 kg
Roitelet	5 g
Gobie d'eau douce	50 mg
Cheval	350 kg
Bœuf	500 kg
Requin blanc	2,5 t
Oiseau mouche	1 600 mg

Mémo

tonne	quintal		kilogramme	hectogramme	décagramme	gramme	décigramme	centigramme	milligramme
t	q		kg	hg	dag	g	dg	cg	mg

1 t = 1 000 kg   1 kg = 1 000 g   1 g = 1 000 mg

1 kg = 0,001 t   1 g = 0,001 kg   1 mg = 0,001 g

S'exercer, résoudre

Banque d'exercices et de problèmes n°s 1 à 3 p. 148.

1) Suzanne a pêché une carpe de 2,750 kg et Lucien un brochet de 2 kg 80 g.
Qui a pêché le plus gros poisson ?

2) Complète.
   a. 0,1 kg = ... g   ;   2,2 kg = ... g   ;   2,9 t = ... kg   ;   0,58 t = ... kg

   b. $\frac{1}{4}$ kg = ... g   ; $\frac{1}{5}$ kg = ... g   ; $\frac{3}{4}$ kg = ... g   ; $\frac{3}{1\,000}$ kg = ... g

3) Écris en grammes.
   100 mg   ;   250 mg   ;   1 500 mg   ;   2 g 30 mg   ;   14 kg

J'ai vu un tableau semblable à la leçon 48.

4) Recopie et complète le tableau selon l'exemple.

Masse en g	250	...	750	...	1	...
Écriture décimale en kg	0,25	...	...	...	...	...
Écriture fractionnaire en kg	$\frac{1}{4}$	$\frac{1}{5}$	...	$\frac{1}{10}$	...	$\frac{12}{1\,000}$

5) Quelle est la masse du melon ?

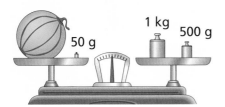
50 g   1 kg   500 g

Quelle est la masse d'une orange ?

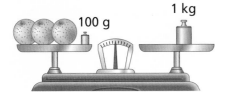
100 g   1 kg

6) Calcule, en kg, la masse de chacune des potions magiques que Yasmanina la Sorcière a préparées.

Potion hystiricum
1,25 kg d'herbium,
720 g de gelénium,
8 g de secrétium.

Potion rigolum
12,300 kg de jus de figaris,
0,75 kg d'explosium,
3 230 g de révurus.

Le coin du **chercheur**

Peut-on placer les nombres 1, 2, 3, 4 et 5 aux sommets de ce pentagone de telle sorte qu'aucun nombre ne se trouve entre celui qui le précède et celui qui le suit ?

Calcul réfléchi

Observe : 36 = 6 × 6 = 12 × 3 = 4 × 9 = 18 × 2

Décompose les nombres en produits.

16   ;   48   ;   24   ;   42   ;   44

Compétence : Trouver le raisonnement le plus approprié pour résoudre des problèmes de proportionnalité.

Calcul mental

Tables de multiplication.
$6 \times 9, ...$

Lire, débattre

Dans un livre de cuisine, on lit :

300 g de riz blanc = 2 tasses pour 4 personnes
600 g de riz blanc = 4 tasses pour 8 personnes
900 g de riz blanc = 6 tasses pour 12 personnes

Peux-tu prévoir la quantité de riz pour 16 personnes ? Pourquoi ?
Peux-tu prévoir le tarif pour expédier un colis de 4 kg ? Pourquoi ?

Pour expédier un colis, on doit se reporter au tableau des tarifs postaux.

Tarifs	
Poids jusqu'à	**Prix**
500 g	5,00 €
1 000 g	6,00 €
2 000 g	6,80 €

Chercher

A 4 tasses contiennent 600 g de riz et 6 tasses contiennent 900 g de riz.

Quelle masse de riz est contenue dans 12 tasses ?

Observe et complète les calculs de Karim et de Mathilde.

4 tasses contiennent 600 g.
12 tasses, c'est 3 fois plus :
$600 \times 3 = ...$

6 tasses contiennent 900 g.
12 tasses, c'est 2 fois plus :
$900 \times 2 = ...$

B Calcule la masse de riz contenue dans 10 tasses.

J'ai trouvé en effectuant une addition !

La masse de riz est proportionnelle au nombre de tasses de riz.

C Explique les calculs désignés par les flèches rouges, puis ceux désignés par les flèches vertes.

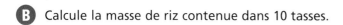

Masse de riz en grammes	150	300	600	...	...	1 500
Nombre de personnes	...	4	8	12	16	...

a. Quelle masse de riz doit-on préparer pour servir 12 personnes ? 16 personnes ?

b. Pour combien de personnes prépare-t-on 150 g de riz ? 1 500 g de riz ?

Mémo

2 croissants coûtent 1,60 €.
6 croissants coûtent 3 fois plus.
$3 \times 1,60 = 4,80$

8 croissants coûtent le même prix que 6 croissants + 2 croissants.
$4,80 + 1,60 = 6,40$

Le prix des croissants est proportionnel au nombre de croissants.

S'exercer, résoudre

Banque d'exercices et de problèmes nos 4 à 6 p. 148.

1) Hugo achète 15 cartes postales. Il les paie 8 € les 5.
Quel est le montant de sa dépense ?

Œufs frais
2 €
la douzaine

2) Reproduis et complète le tableau.

Nombre d'œufs	6	12	18	24	30	...	...
Prix en €	...	2	...	...	...	12	10

a. Combien coûtent 6 œufs ? 18 œufs ? 24 œufs ? 30 œufs ?

b. Combien d'œufs peut-on acheter avec 12 € ? 10 € ?

3) La voiture de Mme Lambert consomme en moyenne 6 litres d'essence aux 100 km.

a. Combien consomme-t-elle pour parcourir 50 km ? 300 km ? 450 km ?

b. Quelle distance parcourt-elle avec 30 litres d'essence ?

4) Voici les renseignements que Romain a relevés dans son carnet de santé.

Âge (en années)	1	2	3	4	5
Poids (en kg)	9	13,5	15	...	...

a. Combien pesait Romain à 2 ans ? À 3 ans ?

b. Peux-tu calculer le poids de Romain à 4 ans ? À 5 ans ?

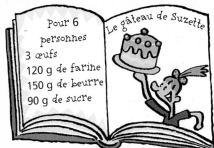

Le gâteau de Suzette

Pour 6 personnes
3 œufs
120 g de farine
150 g de beurre
90 g de sucre

5) Voici les ingrédients nécessaires à la réalisation de ce gâteau pour 6 personnes.
Quelles quantités faut-il pour préparer un gâteau pour :

a. 2 personnes ?   **b.** 12 personnes ?   **c.** 18 personnes ?

6) La trotteuse rouge accomplit 15 tours de cadran en un quart d'heure.

a. Combien de tours accomplit-elle en 1 heure ? En une journée ?

b. Combien de tours la grande aiguille effectue-t-elle en 24 heures ?

La trotteuse accomplit
un tour de cadran
en une minute,
la grande aiguille
accomplit un tour...
Zzz ...

7) Julien achète régulièrement *Top Junior*, son hebdomadaire préféré.
Il calcule sa dépense : cette année, il a déjà acheté 5 numéros pour 15 €.

a. Combien dépensera-t-il pour l'achat de 20 numéros ?

b. Avec un budget de 75 €, combien de numéros pourra-t-il acheter ?

c. Une publicité annonce que l'abonnement à 50 numéros coûte 120 €. Est-il plus avantageux de s'abonner ou d'acheter au numéro ?

Réinvestissement

Écris en mètres.

a. $\frac{1}{4}$ km   ; $\frac{1}{10}$ km

b. 12 dm   ;   85 cm

Le coin du chercheur

Pour diviser 37 par 10, Marina a effectué la multiplication de 37 par un nombre. Lequel ?

55 Problèmes : tracer un graphique

Compétence : Tracer un graphique (courbe ou histogramme).

Calcul mental

Somme de deux nombres de deux chiffres.

58 + 13, …

Lire, chercher

A Le tableau donne l'évolution de la population de la Guyane depuis 50 ans.

Années	1960	1970	1975	1980	1990	2000
Nombre d'habitants	35 000	45 000	55 000	70 000	115 000	160 000

- Reproduis le graphique et complète-le à l'aide des données du tableau.
- Quelle était la population de la Guyane en 1960 ?
- En combien d'années cette population a-t-elle doublé ?
- Quelle était (environ) la population de la Guyane en 1995 ?
- En quelle année la population a-t-elle dépassé 100 000 habitants ?

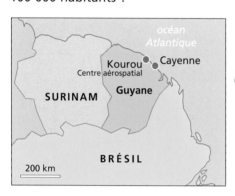

Quel est l'intérêt du graphique ?

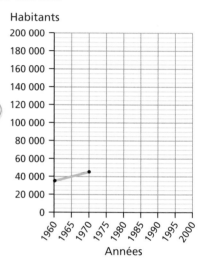

B **a.** Lorsqu'on lance deux dés et que l'on effectue la somme des points, quels nombres peut-on obtenir ? Tous ces nombres ont-ils la même chance de sortir ?

b. Pour le vérifier, trace un graphique.
Lance les dés. Si tu obtiens, par exemple 🎲🎲, colorie le premier carreau de la colonne 5.
Si tu obtiens 🎲🎲 , colorie le premier carreau de la colonne 8.

Recommence en coloriant chaque fois un carreau de la colonne obtenue.
Tu t'arrêtes quand l'une des colonnes atteint 8.
Que remarques-tu ?

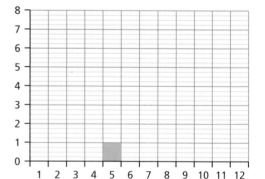

c. Certains nombres sont sortis plus souvent que d'autres. Lesquels ?
Peux-tu expliquer pourquoi ?
Avec deux dés, combien de combinaisons permettent d'obtenir 2 ? 5 ? 7 ? 10 ? 12 ?

C Effectue maintenant 12 lancers avec un seul dé et trace le graphique correspondant.
Que remarques-tu ?

Tu peux utiliser un tableur pour tracer des graphiques. Reporte-toi à l'Atelier informatique n°4, page 190.

Mémo

Un graphique permet de visualiser la situation beaucoup plus rapidement.

S'exercer, résoudre

Banque d'exercices et de problèmes nᵒˢ 7 et 8 p. 148.

1) Le tableau donne le nombre d'animaux de compagnie élevés en France.
Reproduis le graphique et reportes-y les données du tableau.

Animaux	Nombre (en millions)
Chats	10
Chiens	9
Poissons	25
Oiseaux	8
Rongeurs	2,5
Reptiles, tortues, batraciens	7,5

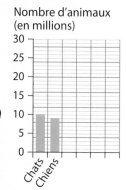

Nombre d'animaux (en millions)

2) Observe le tableau des températures relevées pendant une semaine du mois de mars.
Reproduis et complète le graphique avec les données du tableau.

	L	M	M	J	V	S	D
Températures à 8 h 30	9	7	4	6	6	10	8
Températures à 14 h 00	12	14	9	11	15	15	12

Température (en degrés)

Jours de la semaine

3) En 1870, sur 100 personnes actives, 50 travaillaient dans l'agriculture,
28 dans l'industrie ou le bâtiment et 20 dans les services.

Secteurs	1870	1910	1930	1950	1970	2000
Agriculture	50	40	30	24	12	6
Industrie et bâtiment	28	34	38	35	38	26
Services	20	25	30	40	48	67

a. Reproduis le graphique et complète-le avec les données du tableau.

b. À partir de quelle année environ, le nombre de personnes travaillant dans l'industrie a-t-il dépassé celui des personnes travaillant dans l'agriculture ?

c. Quel est le secteur en continuelle progression ?

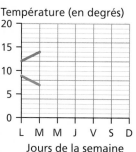

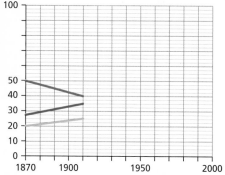

Nombre de personnes (pour 100 travailleurs)

Années

Secrétaires, comptables, professeurs, gendarmes sont dans les services.

Le coin du **chercheur**

Partage ce triangle en quatre figures de même aire et de même forme.

Calcul réfléchi

Observe : 437 + 170 = 437 + 100 + 70
　　　　　437 + 170 = `537` + 70 = 607

Calcule.

a. 658 + 260
　　674 + 250

b. 327 + 370
　　961 + 250

c. 583 + 140
　　437 + 230

56 Construction de solides

Compétences : Percevoir un solide, en donner le nom.
Construire un solide.

Calcul mental

Somme de deux nombres de deux chiffres.

38 + 24, ...

Lire, débattre

Tiens, un monument de Paris : les Invalides.

On dirait un assemblage de solides.

Lesquels reconnais-tu ?

Chercher

A Classe ces solides en polyèdres et corps ronds.

Écris les noms des solides que tu connais.

Toutes les faces d'un polyèdre sont des polygones.

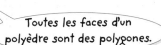

  a

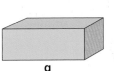 b

  c

  d

  e

  f

  g

  h

B Pour construire une pyramide, reproduis le patron ci-contre.

a. Tu obtiens une « **pyramide régulière à base carrée** ». Pourquoi lui donne-t-on ce nom ?

b. Combien possède-t-elle :
– de sommets ?
– d'arêtes ?
– de faces ?
– de faces latérales ?

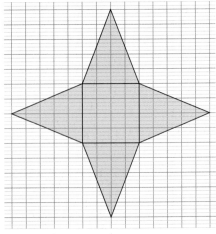

C Cherche dans la page de présentation de la période 4, page 115, des exemples :
– de polyèdres ;
– de corps ronds.

Mémo

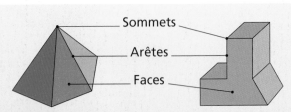

Sommets

Arêtes

Faces

S'exercer, résoudre

Banque d'exercices et de problèmes n° 9 p. 149.

1) Donne les noms géométriques de ces solides.
Lesquels sont des polyèdres ?

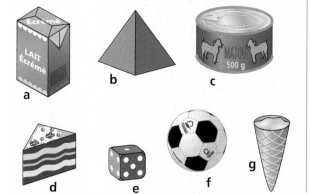

a

b

c

d

e

f

g

2) Reproduis le patron, puis construis
le cylindre.
Un cylindre est-il un polyèdre ou un corps
rond ?

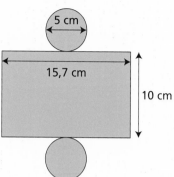

5 cm

15,7 cm

10 cm

3) Une pyramide a pour base un carré.

a. Combien a-t-elle de faces latérales ?

b. Combien de faces latérales possède une pyramide si sa base est :
– un triangle ?
– un pentagone (polygone à 5 côtés) ?

4) Les faces latérales d'un prisme droit
sont des rectangles.
Reproduis ce patron pour construire
un prisme droit dont les bases sont
des trapèzes.

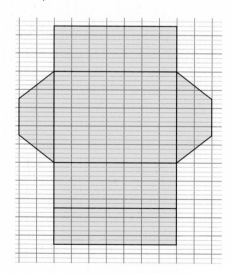

5) Construis deux cônes différents en suivant
les étapes des figures 1 et 2.
Le rayon du disque mesure 4 cm.

① 4 cm

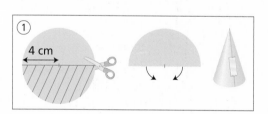

② 4 cm

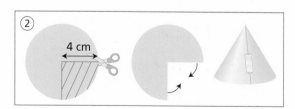

Réinvestissement

Six œufs coûtent 1,60 €.

Quel est le prix de 3 œufs ? De 12 œufs ?
De 9 œufs ?

Le coin du **chercheur**

Dans un enclos, on trouve
des autruches et des antilopes.
On compte 36 têtes et 92 pattes.
Combien d'autruches et d'antilopes
sont dans cet enclos ?

57 Proportionnalité (2) : la règle de trois

Compétence : Utiliser « la règle de trois » ou un tableau pour résoudre des situations de proportionnalité.

Lire, débattre

Comment calculer le prix de 14 feutres ?

4 feutres 3 €

Chercher

À la grande Braderie, Xavier et Zoé ont acheté en commun un lot de 9 DVD de jeux pour 108 €. Zoé prend 4 DVD, Xavier en prend 5.

Combien chacun débourse-t-il ?

A Zoé calcule.

9 DVD coûtent 108 €
1 DVD coûte 9 fois moins cher : 108 divisé par 9.
4 DVD coûtent 4 fois plus...

a. Termine les calculs de Zoé.
b. Combien débourse-t-elle ?

B Xavier trace le tableau de proportionnalité ci-dessous.

: 9   × ...

Nombre de DVD	9	1	5
Prix	108	...	...

Le prix de 4 DVD peut se calculer en faisant une règle de trois.
On écrit : (108 : 9) × 4
ou (108 × 4) : 9

a. Reproduis et complète le tableau.
b. Combien Xavier débourse-t-il ?

C Calcule maintenant le prix de 6 DVD.

Mémo

Pour résoudre un problème de proportionnalité, tu peux utiliser :
– une règle de trois ;
– un tableau de proportionnalité...

S'exercer, résoudre

Banque d'exercices et de problèmes nº 10 p. 149.

1) Pour préparer de la confiture de framboises,
il faut 400 g de framboises pour 300 g de sucre.

a. Quelle masse de sucre faut-il pour 600 g
de framboises ?

b. Pour 1 kg ?

2) L'automobile de l'oncle Ernest consomme 6 L de carburant aux 100 km.

a. Combien consomme sa voiture lorsqu'il se rend chez son neveu qui habite à 40 km ?

b. L'automobile dégage 120 g de dioxyde de carbone aux 100 km.
Quelle masse de dioxyde de carbone dégage-t-elle lors de ce parcours ?

3) Pour obtenir 1 000 g de pain, le boulanger utilise 1 200 g de pâte.

a. Quelle masse de pâte doit-il peser pour fabriquer des pains de 500 g ?
des pains de 750 g ?

b. Il pétrit 12 kg de pâte.
Quelle masse de pain obtient-il ?

4) Une ramette de 500 feuilles de papier de format A4 pèse 2 500 g.
Combien pèsent 300 feuilles ?

5) Un avion parcourt 360 km en 30 min.
Quelle distance parcourt-il en 10 min ? en 15 min ? en 45 min ?

6) Reproduis soigneusement cette droite graduée.
Place la graduation 250.

Pour résoudre ces problèmes, choisis la méthode qui convient le mieux. Tu peux utiliser ta calculatrice.

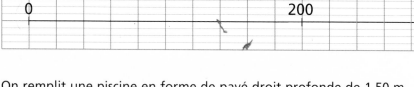

7) On remplit une piscine en forme de pavé droit profonde de 1,50 m.
En 10 minutes, le niveau de l'eau s'est élevé de 5 cm.

a. De quelle hauteur s'élèvera-t-il en 1 heure ?

b. Quelle est la durée du remplissage de la piscine ?

Calcul réfléchi

Observe : $12 \times 1,5 = (12 \times 1) + (12 \times 0,5)$

$12 \times 1,5 = \quad 12 \quad + \quad 6 \quad = 18$

Calcule.

a. 18 × 1,5	b. 24 × 1,5	c. 14 × 1,5
32 × 1,5	50 × 1,5	48 × 1,5

Le coin du chercheur

Chaque lettre correspond à un chiffre.
Quelle est la valeur de chacune des lettres A, E et L ?

```
     E   L   A
     E   E   A
  +  A   A   A
  _____
     9   2   8
```

Compétences : Calculer le quotient décimal de deux entiers.
Calculer le quotient décimal d'un décimal par un entier.

Comprendre

A

Quel est le prix d'un DVD ?

4 DVD 37 €

Tu divises le prix par le nombre de DVD. Observe comment je divise 37 par 4.

Je calcule la partie entière du quotient.

37 = (4 × 9) + 1

Il reste 1, je continue...

```
  3 7 | 4
- 3 6 | 9
----
    1
```

Je place la virgule au quotient pour écrire sa partie décimale.

Il reste 1 unité ou 10 dixièmes.
Je divise les 10 dixièmes par 4.
Il reste 2 dixièmes, je continue...

dixièmes

```
    3 7  ↓ | 4
  - 3 6  ↓ | 9 , 2
  ------
      1 0
    -   8
    ------
        2
```

Il reste 2 dixièmes ou 20 centièmes.
Je divise les 20 centièmes par 4.
Le reste est nul, la division est terminée. 37 = 4 × 9,25

centièmes

```
    3 7  ↓  | 4
  - 3 6  ↓  | 9 , 2 5
  ------
      1 0
    -   8  ↓
    ------
        2 0
      - 2 0
      ------
          0
```

Calcule comme Mathéo le prix d'un DVD de la collection **Histoire**

B Observe comment Mathéo calcule le prix d'un DVD de la collection **Aventures**.

Promotions sur les DVD

HISTOIRE	AVENTURES	MUSIQUE	COMIQUES
70 € les 8	58,50 € les 6	46,75 € les 5	26,75 € les 3

C'est aussi facile. Observe comment diviser 58,50 par 6.

```
  5 8, 5 0 | 6
- 5 4      | 9 , 7 5
----
    4 5
  - 4 2
  ----
      3 0
    - 3 0
    ----
        0
```

Le quotient n'est pas exact. Tu calcules alors un quotient approché au dixième, centième ou millième près...

Pour les Comiques, je trouve 8,91666 € et il y a toujours un reste.

a. Calcule à ton tour le prix d'un DVD des collections **Musique** et **Comiques**.

b. Donne le prix du DVD **Comiques** au centième près.

S'exercer, résoudre

Banque d'exercices et de problèmes nos 11, 12 et 13 p. 149.

1) Pose et effectue les divisions suivantes :

   a. au dixième près :   312 divisé par 5   765 divisé par 6   70 divisé par 8

   b. au centième près :   310 divisé par 3   8 divisé par 7   100 divisé par 8

2) **a.** Le quotient exact de 6 848 par 8 est 856. Vérifie-le.

   b. Sans effectuer chaque division, trouve :

   – le quotient exact de 68,48 par 8 ;   – le quotient exact de 684,8 par 8 ;

   – le quotient exact de 6,848 par 8 ;   – le quotient exact de 68 480 par 8.

3) Pose et effectue ces divisions :

   a. au dixième près :   37,5 divisé par 8   45,12 divisé par 6   94,2 divisé par 3

   b. au centième près :   435,8 divisé par 9   362,25 divisé par 5   728,06 divisé par 4

4) Un carré a un périmètre de 350 cm. Quelle est la longueur d'un côté ?

   Donne la réponse en cm, puis en mètres.

5) Pour chacune des situations suivantes, pose une question et trouve la réponse à cette question :

   a. J'ai payé 13 € un sac de 5 kg de pommes.

   b. Les 8 dictionnaires que nous avons reçus pèsent 13,200 kg.

   c. Maman a acheté 7 draps qui coûtent 13 € chacun.

6) Au championnat de cyclo-cross, les coureurs parcourent
6 tours de circuit.
À l'arrivée, le compteur de Max indique 22,5 km.
Quelle est la longueur d'un tour de circuit ?

7) Résous les problèmes suivants.

   a. Au restaurant scolaire, on place 8 enfants par table.
Combien de tables sont nécessaires si 60 enfants mangent au restaurant ?

   b. 8 pots de peinture pèsent 14 kg.
Quelle est la masse d'un pot ?

   c. 82 élèves participent au tournoi de basket-ball.
On forme des équipes de 5 joueurs.
Combien d'équipes pourra-t-on former ?

Attention, il y a des pièges.

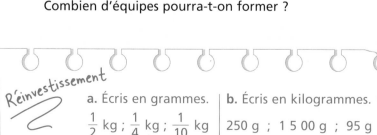

Réinvestissement

   a. Écris en grammes. | **b.** Écris en kilogrammes.

   $\frac{1}{2}$ kg ; $\frac{1}{4}$ kg ; $\frac{1}{10}$ kg | 250 g ; 1 500 g ; 95 g

Le coin du chercheur

C'est l'anniversaire de Laura qui a 36 ans.
Elle est trois fois plus âgée que son chien Kiki, et l'âge de son chat Minou est le quart du sien.
Quels sont les âges de Kiki et de Minou ?

Calcul mental

Multiplier par 0,5.

$7 \times 0,5$, …

Compétences : Distinguer les angles, fractions entières du plan.
Mesurer les angles d'un triangle.

Lire, débattre

Plus un triangle est grand, plus ses angles sont grands

Est-ce vrai ?

Chercher

A Construis le gabarit d'un demi-angle droit.

Tu sais déjà construire par pliage un gabarit d'angle droit : l'équerre.

B Observe, puis effectue les pliages suivants.

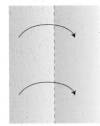

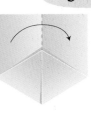

Compare l'angle $\widehat{A}$ aux angles du Mémo.

À quelle fraction de l'angle droit l'angle $\widehat{A}$ correspond-il ?

Par pliage, comment obtiens-tu un angle égal à $\dfrac{1}{3}$ d'angle droit ?

C **a.** Observe ces triangles.
Utilise les instruments de géométrie pour trouver leur nom.

b. Utilise les gabarits d'angle précédents pour mesurer
les angles des triangles A et B.
Écris ces mesures sous forme de fractions d'angle droit.

c. Le triangle C a-t-il deux angles superposables ?

d. Recopie et complète.

Un triangle isocèle possède … angles superposables.
Un triangle rectangle isocèle possède … angle droit et … .
Un triangle équilatéral possède … angles superposables. Chacun mesure … d'angle droit.

e. Trace un triangle rectangle possédant un angle égal à $\dfrac{1}{3}$ d'angle droit. Mesure l'autre angle.

Mémo

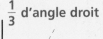

Angle droit	$\dfrac{1}{2}$ angle droit	$\dfrac{1}{3}$ d'angle droit	$\dfrac{2}{3}$ d'angle droit

S'exercer, résoudre

Banque d'exercices et de problèmes nᵒˢ 14 à 18 p. 149.

1) Utilise les gabarits que tu as construits pour mesurer l'angle $\widehat{A}$.

$\widehat{A}$

2) Trace un carré ABCD.
Trace sa diagonale AC.
Écris les mesures des angles du triangle ABC sous forme de fractions d'angle droit.

3) Dans le commerce, on trouve deux sortes d'équerre comme celles des photos ci-contre.
Écris la mesure de leurs angles sous forme de fractions d'angle droit.
Reproduis et complète le tableau.

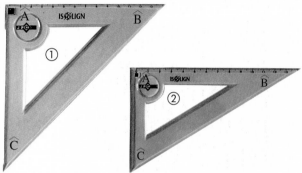

	Angle $\widehat{A}$	Angle $\widehat{B}$	Angle $\widehat{C}$
Équerre 1			
Équerre 2			

4) Reproduis cette figure en utilisant les gabarits d'angle fabriqués au cours de la leçon.

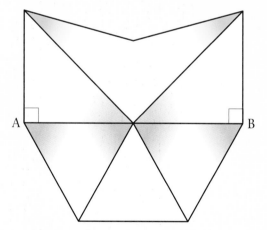

5) **a.** Utilise un gabarit d'angle égal à $\frac{2}{3}$ d'angle droit pour tracer le triangle ABC suivant :

– le côté BC mesure 6 cm ;
– les angles $\widehat{B}$ et $\widehat{C}$ sont égaux à celui de ton gabarit.

b. Compare l'angle $\widehat{A}$ du triangle à celui de ton gabarit.

c. Mesure les côtés AB et AC du triangle.

d. Quel est le nom du triangle que tu as construit ?

Le coin du chercheur

Le disque blanc est-il plus près du sommet A que du côté BC ?

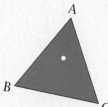

Calcul réfléchi

Observe : 372 – 140 = 372 – 100 – 40

372 – 140 = 272 – 40 = 232

Calcule.

a. 463 – 250
354 – 160

b. 892 – 560
217 – 120

c. 668 – 130
458 – 140

60 Périmètre du cercle

Compétence : Savoir calculer le périmètre d'un cercle.

Lire, débattre

Je voudrais fixer une baguette autour de ma table ronde de 1 m de diamètre.

Comment calculer la longueur de la baguette ?

Chercher

Tu peux utiliser une ficelle, un mètre de couturière, marquer un point sur la boîte et la faire rouler...

A **a.** Prends une boîte cylindrique que tu appelleras C_1.
– Mesure son diamètre en mm.
– Mesure son périmètre en mm comme l'indique Mathéo.

b. Recommence avec une autre boîte cylindrique C_2.
Reproduis le tableau et note tes résultats.

c. Trace, au tableau ou au sol,
un cercle C_3 de 50 cm de diamètre.
Mesure son périmètre en cm.
Note le résultat dans le tableau.

Cercle	C_1	C_2	C_3	C_4
diamètre	..... mm	..... mm	50 cm	100 cm
périmètre	....	....	....	....

d. Recommence avec un cercle C_4 de 100 cm de diamètre.

e. Avec ta calculatrice divise le périmètre de chaque cercle par son diamètre.
Que remarques-tu ?

B La formule qui permet de calculer le périmètre d'un cercle quand on connaît le diamètre est :

Périmètre = Diamètre × 3,14.

a. Utilise cette formule pour calculer :
– le périmètre d'un cercle de 50 cm de diamètre.
– le périmètre d'un cercle de 100 cm de diamètre.

b. Retrouves-tu le résultat de tes mesures ?

C Le rayon de la roue du vélo de Jules mesure 35 cm.
Quelle distance parcourt Jules à chaque tour de roue ?

Mémo

Périmètre d'un cercle = diamètre × 3,14

Attention :
diamètre = rayon × 2

15 cm

Périmètre du cercle
15 cm × 3,14 = 47,10 cm

Banque d'exercices et de problèmes nᵒˢ 19 et 20 p. 149.

S'exercer, résoudre

1) Reproduis et complète ce tableau.

	Cercle A	Cercle B	Cercle C
rayon	10 cm	... cm	12 cm
diamètre	... cm	48 cm	... cm
périmètre	... cm	... cm	... cm

2) Dessine un cercle de 4 cm de rayon.
a. Calcule son périmètre.
b. Trace un segment de même longueur que ce périmètre.

3) Quel est le périmètre de la figure **A** ?
Celui de la figure **B** ?

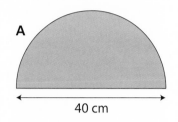
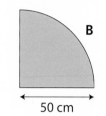

A 40 cm

B 50 cm

4) Julia a-t-elle raison ?
Justifie ta réponse.

La plus grande figure a toujours le plus grand périmètre.

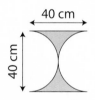
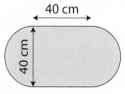

40 cm, 40 cm, 40 cm, 40 cm

5) L'équateur de la Terre est un cercle de 13 000 km de diamètre.
Calcule son périmètre.

Équateur

6) Calcule le périmètre de ce bassin.
AB = 20 m

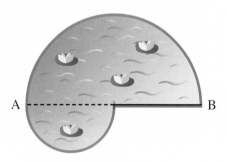

A B

Réinvestissement
Pour un vol de 10 min, une abeille bat 12 000 fois des ailes.
Quel est le nombre de battements d'ailes pour un vol :
– de 30 min ?
– d'une heure ?

Le coin du chercheur
Saurais-tu écrire 30 en utilisant six fois le chiffre 2 ?

Quadrilatères

Compétence : Construire des quadrilatères en mettant en œuvre leurs propriétés.

Lire, débattre

On a demandé à Lucas, Nadine et Tchang de tracer un losange sur une feuille de papier uni.

Lucas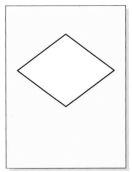

Nadine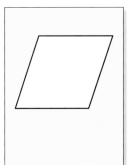

Tchang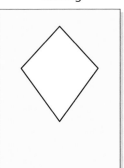

Comment faire pour savoir qui a tracé un losange ?

Chercher

A Observe la figure ci-contre.

Quels quadrilatères reconnais-tu ?

Quelles propriétés de chaque quadrilatère a-t-on utilisées pour le construire ?

B Reproduis la figure en respectant les dimensions et écris chacune des étapes de ton travail.

C Réponds par VRAI ou par FAUX.
- Le carré est un losange.
- Le rectangle est un losange.

Mémo

Carré	Rectangle	Losange	Trapèze	Parallélogramme
		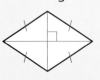		

S'exercer, résoudre

Banque d'exercices et de problèmes n° 21 p. 149.

1) Sur une feuille de papier quadrillée, trace à main levée un parallélogramme ABCD.
Le côté AB mesure 5 carreaux.

2) Reproduis ce gabarit et utilise-le pour construire :
– un rectangle ;
– un parallélogramme ;
– un losange.

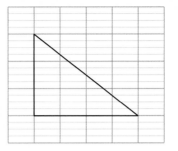

3) Sur une feuille de papier uni, trace un carré de 6 cm de côté.

4) Observe cette figure.

Comment traces-tu avec précision le centre du cercle ?
Construis cette figure en respectant les dimensions.

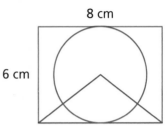

5) Le jardinier délimite dans le parc un massif rectangulaire de 10 m sur 6 m.
Il marque, au moyen d'un piquet, le milieu de chacun des côtés.
Il joint ensuite les milieux des côtés consécutifs pour construire un quadrilatère qu'il réserve pour une pelouse.

a. Dessine ce massif à main levée, en prenant un carreau pour représenter un mètre.

b. Quelle est la forme de la pelouse ? De chacune des autres figures ?

c. Compare l'aire d'un triangle à celle de la pelouse.

6) Observe les dessins ① et ②. Utilise-les pour construire la figure ③.
Le rayon du grand cercle mesure 6 cm ; celui du petit, 2 cm.

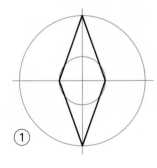

①

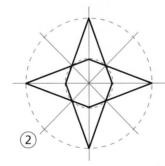

②

③

Calcul réfléchi

Observe : 437 + 198 = 437 + 200 – 2

437 + 198 = 637 – 2 = 635

Calcule.

a. 656 + 297	b. 328 + 195	c. 143 + 396
298 + 352	732 + 997	317 + 458

Le coin du chercheur

J'ai moins de 60 ans et plus de 30 ans. Cette année, mon âge est multiple de 7.
L'an prochain, il sera multiple de 5. Saurais-tu dire mon âge ?

Compétences : Calculer une durée.
Exprimer une durée sous forme décimale.

Somme de petits décimau:
1,8 + 0,5, ...

Lire, débattre

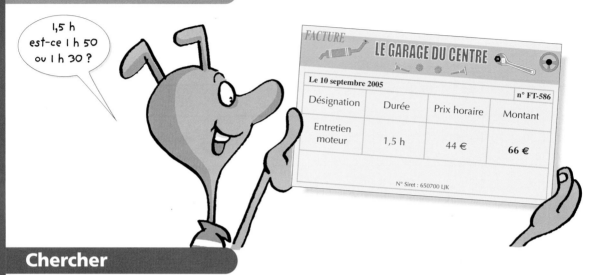

1,5 h est-ce 1 h 50 ou 1 h 30 ?

FACTURE

LE GARAGE DU CENTRE

Le 10 septembre 2005

n° FT-586

Désignation	Durée	Prix horaire	Montant
Entretien moteur	1,5 h	44 €	66 €

N° Siret : 650700 LJK

Chercher

A Quatre amis décident de s'affronter en rollers dans une course de 15 km contre la montre.
Un départ a lieu toutes les 10 minutes.
Martin part le premier, à 15 h 10 min.
Inès, Julien et Élise partent ensuite dans cet ordre.

a. Le tableau des heures d'arrivée permet-il de connaître le gagnant sans effectuer de calculs ?

b. Pour connaître son temps, Martin effectue le calcul ci-dessous.
Explique comment il procède.

Tableau des heures d'arrivée	
Martin	16 h 35 min
Inès	16 h 50 min
Julien	16 h 43 min
Élise	17 h 04 min

| 15 h | 30 | 16 h | 30 | 17 h | 30 |

50   +   35   =   85 min soit 1 h 25 min

B Calcule de la même façon les durées de parcours des autres concurrents.

C Quel est le classement ?

Calcule d'abord
l'heure de départ
de chacun.

D Écris la durée de la course d'Inès sous forme décimale.

Mémo

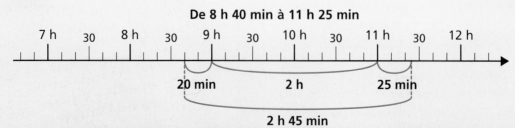

De 8 h 40 min à 11 h 25 min

| 7 h | 30 | 8 h | 30 | 9 h | 30 | 10 h | 30 | 11 h | 30 | 12 h |

20 min   2 h   25 min

2 h 45 min

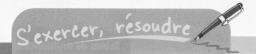

S'exercer, résoudre

Banque d'exercices et de problèmes nᵒˢ 22 à 24 p. 150.

1) Une émission de télévision débute à 17 h 45 min et se termine à 19 h 15 min.

Quelle est sa durée ?

2) **a.** Convertis en heures et minutes.

75 min ; 90 min ; 120 min

65 min ; 84 min ; 190 min

b. Convertis en minutes.

$\frac{1}{2}$ h ; $\frac{1}{4}$ h ; $\frac{3}{4}$ h

1,5 h ; 0,5 h ; 0,25 h

3) Un TGV Bordeaux-Paris part de Bordeaux, gare Saint-Jean, à 19 h 47 min. Le voyage dure 2 h 58 min.

À quelle heure ce TGV arrive-t-il à Paris, gare Montparnasse ?

4) Lydia veut arriver à 8 h 25 min à son travail. Elle prévoit 35 min de trajet.

À quelle heure doit-elle partir au plus tard ?

5) Pour se rendre en vacances, Zoé a pris un train de nuit. Elle est partie, le soir, à 22 h 30 min. Elle est arrivée le lendemain matin à 7 h 15 min.

Quelle a été la durée du voyage ?

6) Le garagiste a facturé 2,75 h de travail à 46 € de l'heure.

Exprime cette durée en heures et minutes.

7) Aux Jeux olympiques d'Athènes, en 2004, le Néo-Zélandais Carter Hamish a obtenu la médaille d'or au triathlon.

Voici ses résultats :

Natation 1500 m : 18 min 19 s
Cyclisme 40 km : 1 h 00 min 44 s
Course à pied 10 km : 32 min 04 s.

Quel temps total a-t-il réalisé ?

Réinvestissement

1 litre de peinture permet de couvrir 4 m². Avec un pot de 1,5 L quelle surface peut-on peindre ?

Combien de litres de peinture faut-il pour peindre un portail de 12 m² ?

Le coin du chercheur

20 cartes portent chacune un nombre de 1 à 20 et sont rangées dans l'ordre croissant de ces nombres.
Jules distribue une à une les cartes ainsi rangées à deux camarades.
Quels nombres portent les cartes reçues par chacun d'eux ?

Mesure des aires : unités usuelles

Compétences : Connaître les unités légales de mesure des aires.
Calculer l'aire d'un carré ou d'un rectangle. Convertir les mesures d'aire.

Lire, débattre

Les modules solaires

Les modules solaires, appelés aussi modules photovoltaïques, transforment directement la lumière du Soleil en électricité. Ils sont assemblés en panneaux rectangulaires de quelques centimètres d'épaisseur.

La surface d'un panneau solaire varie entre cinquante centimètres carrés et trois mètres carrés. Un panneau pèse quelques kilogrammes et coûte quelques centaines d'euros.

● Quelles sont les unités de mesure d'aire utilisées dans ce texte ?

● Connais-tu d'autres situations où ces unités sont utilisées ?

Chercher

A L'aire d'un carré de 1 cm de côté est le **centimètre carré** que l'on écrit cm^2.
L'aire d'un carré de 1 mm de côté est le **millimètre carré** que l'on écrit mm^2.

1 cm

$1\ mm^2$

$1\ cm^2$

Comment noterais-tu les aires des carrés de côté 1 m ? 1 dm ? 1 km ?

B Trace sur ton cahier un carré de 3 cm de côté, un carré de 5 cm de côté et un carré de 10 cm de côté.

a. Calcule la mesure de l'aire de chacun de ces carrés.

b. Complète la formule qui permet de calculer l'aire A d'un carré de côté c :

c

$$A = c \times \ldots$$

C Utilise les résultats précédents pour compléter.
$1\ cm^2 = \ldots\ mm^2$; $1\ dm^2 = \ldots\ cm^2$; $1\ m^2 = \ldots\ dm^2$; $1\ m^2 = \ldots\ cm^2$

D Trace sur ton cahier un rectangle de longueur $L = 5$ cm et de largeur $l = 3$ cm.

a. Calcule la mesure de son aire.

b. Complète la formule qui permet de calculer l'aire A d'un rectangle :

L

l

$$A = \ldots \times \ldots$$

Mémo

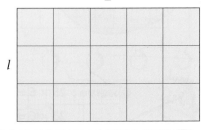

$1\ m^2 = 100\ dm^2 = 10\ 000\ cm^2$
$1\ cm^2 = 100\ mm^2$
$1\ km^2 = 1\ 000\ 000\ m^2$

Aire du carré = côté × côté
Aire du rectangle = Longueur × largeur

S'exercer, résoudre

Banque d'exercices et de problèmes n°s 27 et 28 p. 150.

1) Complète.

1 m = ... dm | 1 m^2 = ... dm^2

1 dm = ... cm | 1 dm^2 = ... cm^2

1 cm = ... mm | 1 cm^2 = ... mm^2

2) Une image mesure 4,8 cm de large et 9 cm de long.

a. Calcule son aire en mm^2.

b. Convertis-la en cm^2.

3) Calcule l'aire de cette cour d'école de deux façons différentes.

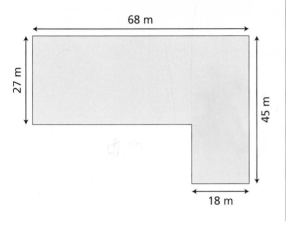

68 m

27 m

45 m

18 m

4) **a.** Quel était le nombre de dalles de cette salle d'une villa romaine ?

b. Les dalles sont des carrés de 40 cm de côté.

Calcule l'aire de cette salle en cm^2, puis en m^2.

5) Un refuge en montagne est équipé d'environ 9 m^2 de panneaux solaires.

a. Quelle est l'aire d'un panneau solaire du type ci-contre ?

b. Combien de panneaux le refuge comporte-t-il ?

c. Quelle est leur masse ?

d. Quel est leur prix ?

N'oublie pas :
1 m^2 = 10 000 cm^2

Caractéristiques techniques d'un panneau solaire	
Dimensions Longueur : 38 cm largeur : 29 cm épaisseur 38 mm	**Poids :** 1,7 kg **Prix** 149 €

6) Calcule l'aire de ce champ.

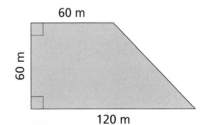

60 m

60 m

120 m

Réinvestissement

Trace à main levée le quadrilatère suivant :
– ses diagonales de même longueur sont perpendiculaires ;
– il possède un seul axe de symétrie.

Le coin du chercheur

Trace un carré, puis découpe-le en six pièces selon ce modèle. Assemble-les pour former un hexagone quelconque.

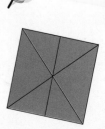

65 Aire du triangle

Compétence : Calculer l'aire d'un triangle en utilisant la formule appropriée.

Calcul mental

Retrancher un entier d'un décimal.

12,35 – 8, ...

Lire, débattre

C'est facile de calculer l'aire d'un triangle, c'est toujours la moitié de l'aire d'un rectangle.

Tu m'étonnes !

Pour le triangle rectangle, tu as sans doute raison !

Chercher

A Compare l'aire du triangle rectangle jaune à l'aire du rectangle ABCD.

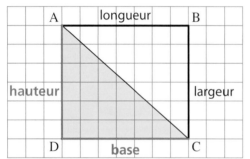

a. Quelle est la formule qui donne l'aire du rectangle ?

b. Justifie que la formule (base × hauteur) : 2 donne l'aire du triangle.

B Compare l'aire du triangle :
– HKJ à celle du rectangle EKJH ;
– KGJ à celle du rectangle KFGJ ;
– violet à celle du rectangle EFGH.

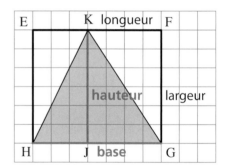

L'aire du triangle est-elle encore donnée par la formule (base × hauteur) : 2 ?

C Calcule de deux façons l'aire de ce triangle.

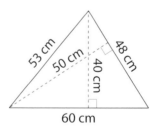

Mémo

Aire du triangle = (base × hauteur) : 2

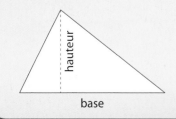

Aire du triangle rose
(32 m × 18 m) : 2 = 288 m²

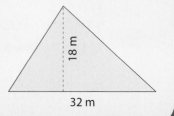

S'exercer, résoudre

Banque d'exercices et de problèmes nᵒˢ 29 et 30 p. 150.

1) Calcule l'aire de cette cour d'école.

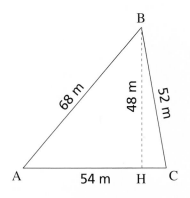

2) Calcule l'aire de ce jardin public.

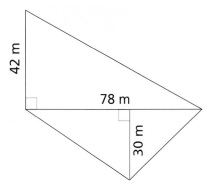

3) Mesure les dimensions de ces triangles, puis calcule leur aire en mm².

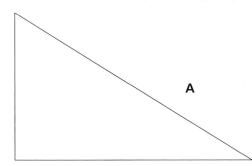

A

B

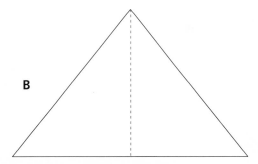

4) **a.** Quelle est l'aire coloriée en jaune ?
b. Quelle est l'aire coloriée en rouge ?
Que constates-tu ?

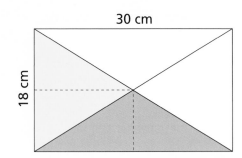

5) Les diagonales de ce losange mesurent
16 cm et 10 cm.
Calcule son aire de deux façons.

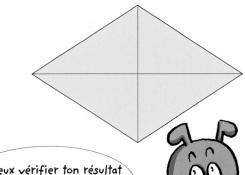

Tu peux vérifier ton résultat
en traçant le losange sur
du papier centimétrique

Calcul réfléchi

Observe : $0,25 = \dfrac{1}{4}$

$12 \times 0,25 = 12 : 4 = 3$

Calcule.

24 × 0,25	32 × 0,25	16 × 0,25
22 × 0,25	14 × 0,25	42 × 0,25

Le coin du **chercheur**

Quel est le plus grand nombre
pair inférieur à un million ?

66 Calcul instrumenté : quotient et reste

Compétences : Calculer le quotient entier et le reste avec la calculatrice.
Déterminer les chiffres significatifs de la partie décimale

Calcul mental

Tables de multiplication
7 × 6, …

Chercher

A Papy a une collection de 1 400 timbres. Il les partage équitablement entre ses 12 petits-enfants.

Quelle est la part de chacun ?

a. Utilise ta calculatrice pour diviser 1 400 par 12.
– Qu'affiche-t-elle ?
– Combien de timbres reçoit chaque enfant ?
– Combien de timbres Papy a-t-il distribués ?
– Combien en reste-t-il ?

b. Écris ces réponses sous la forme :

$$1\ 400 = (12 \times …) + …$$

B Mamie partage ensuite 200 € entre ses 12 petits-enfants.

a. Avec la calculatrice, divise 200 par 12. Qu'affiche-t-elle ?
Combien de chiffres après la virgule dois-tu conserver ? Pourquoi ?
Indique en euros et centimes la part de chaque enfant.

b. Mamie donne l'argent qui reste au plus jeune. Combien celui-ci reçoit-il de plus que les autres ?

S'exercer, résoudre

Banque d'exercices et de problèmes n° 31 p. 15(

1) Utilise ta calculatrice pour trouver le quotient entier et le reste de :
5 140 divisé par 8 ; 647 divisé par 25 ; 3 210 divisé par 17 ; 42 350 divisé par 346
Écris les réponses sous la forme : $5\ 140 = (8 \times …) + …$

2) Pedro Juarez veut clôturer son ranch. Le terrain est rectangulaire et mesure 210 m de long et 148 m de large.
Il choisit une clôture vendue en rouleaux de 25 m.

a. Combien de rouleaux doit-il acheter ?

b. Quelle longueur du dernier rouleau ne sera pas utilisée ?

3) En 1875, Mathews Weeb a traversé la Manche à la nage en 1 305 minutes.
En 1926, Gertrude Ederlé a réussi la même traversée en 879 minutes.
En 1985, Philipp Rusch a battu le record de cette traversée en 475 min.

Écris toutes ces durées en heures et minutes.

Mémo

44 divisé par 7 donne | 6,2857142 | sur l'écran de la calculatrice.

6 est la partie entière, c'est le **quotient entier** de 44 divisé par 7.

Pour trouver le reste, on effectue : $44 – (7 \times 6) = 2$

67 Problèmes : procédures personnelles (4)

Compétences : Lire un schéma. Argumenter et écrire pour communiquer la solution.

Chercher, argumenter

● **À toi de chercher seul ou avec ton équipe.**

a. Observe les pesées et calcule la masse d'un grand vase puis celle d'un petit.

1re pesée

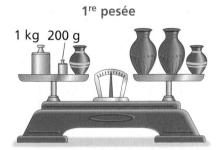

1 kg 200 g

2e pesée

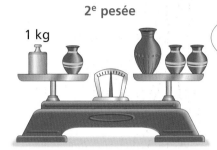

1 kg

Quand tu retires la même masse sur chaque plateau, la balance reste en équilibre.

b. Explique ta démarche à tes camarades.

● **Observe maintenant le raisonnement de Célia.**

Pour la première pesée, je retire un petit vase de chaque côté. Je peux alors calculer la masse d'un grand vase. Ensuite, pour les petits vases de la deuxième pesée, j'agis de la même façon.

a. Explique à tes camarades le raisonnement de Célia. As-tu fait le même ?

b. Termine les calculs de Célia et compare ses résultats aux tiens.

S'exercer, résoudre

Banque d'exercices et de problèmes n° 32 p. 150.

1 kg   1 kg

1) Quelle est la masse :
 – d'une banane ?
 – d'un ananas ?

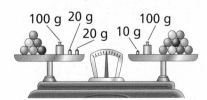

100 g 20 g   100 g
        20 g 10 g

2) Quelle est la masse d'une bille ?

3) Une brique pèse 1 kg plus une demi-brique.
 Quelle est la masse d'une brique ?

68 Mobilise tes connaissances !

L'Union européenne

Compétence : Maîtriser l'ensemble des connaissances et des savoir-faire pour interpréter des documents et résoudre des problèmes complexes.

> Dessine :
> – deux drapeaux de l'U.E. ayant deux axes de symétrie ;
> – deux drapeaux ayant un axe de symétrie horizontal ;
> – deux drapeaux ayant un axe de symétrie vertical.

Allemagne
Autriche
Belgique
Bulgarie
Chypre
Danemark
Espagne
Estonie
Finlande
France
Grèce
Hongrie
Irlande
Italie
Lettonie
Lituanie
Luxembourg
Malte
Pays-Bas
Pologne
Portugal
République tchèque
Roumanie
Royaume-Uni
Slovaquie
Slovénie
Suède

FINLANDE
SUÈDE
Helsinki
Stockholm
Tallinn
ESTONIE
Riga
LETTONIE
DANEMARK
Dublin
IRLANDE
ROYAUME-UNI
Copenhague
LITUANIE
Vilnius
PAYS-BAS
Londres
Amsterdam
Berlin
Varsovie
Bruxelles
ALLEMAGNE
BELGIQUE
POLOGNE
Paris
Prague
RÉPUBLIQUE TCHÈQUE
LUXEMBOURG
SLOVAQUIE
Vienne
Bratislava
Budapest
FRANCE
AUTRICHE
HONGRIE
SLOVÉNIE
ROUMANIE
Ljubljana
Bucarest
PORTUGAL
Sofia
Lisbonne
Madrid
ITALIE
BULGARIE
ESPAGNE
Rome
500 km
GRÈCE
Athènes
MALTE La Valette
Nicosie
CHYPRE

Nous avons effectué une recherche sur les distances entre les capitales, sur les transports aériens, sur la population et sur la production des différents pays de l'Union européenne. Observe les documents que nous avons recueillis, puis réponds aux questions.

Autrefois, il fallait plusieurs semaines pour aller de Paris à Varsovie. Aujourd'hui, toutes les capitales de l'Union européenne sont à moins de 3 heures d'avion de Paris.

Vols	Départ	Arrivée
Paris-Londres	11 h 50	13 h 05
Paris-Varsovie	9 h 35	11 h 50
Paris-Lisbonne	15 h 45	17 h 20

> Calcule
> la durée de vol :
> – entre Paris et Londres ;
> – entre Paris et Varsovie ;
> – entre Paris et Lisbonne.

Madrid est à 1 040 km de Paris. À quelle distance, environ, de Paris se trouvent Londres et Vienne ?

Construis un graphique semblable avec les données du tableau ci-contre.

Capitales	Distance de Paris en km
Rome	1 150
Varsovie	1 350
Luxembourg	275
Athènes	2 100
Prague	875

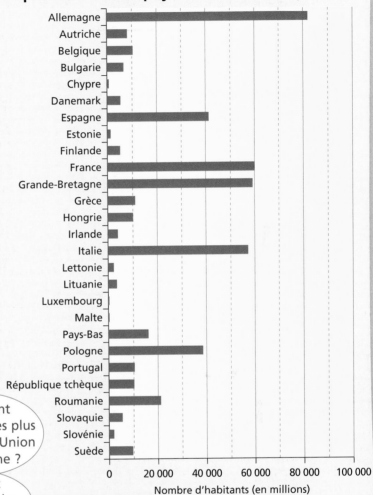

Population des 27 pays de l'Union européenne

Nombre d'habitants (en millions)

Sur le graphique, A, B, C et D désignent quatre capitales : Lisbonne, Bruxelles, Helsinki et Berlin. Observe sur la carte à quelle distance de Paris sont ces capitales. Indique à quelle ville correspond chaque lettre.

Quels sont les six pays les plus peuplés de l'Union européenne ?

Quels sont les trois pays les moins peuplés ?

Utilise ta calculatrice pour trouver la quantité de fruits que consomme dans l'année, chaque Allemand, chaque Belge, chaque Espagnol. Donne la réponse en kg.

Dix millions de Belges cosomment 950 millions de kg de pommes de terre par an. 10 Belges consomment donc 950 kg de pommes de terre dans l'année. Combien un Belge consomme-t-il de pommes de terre dans l'année ?

Un Français consomme-t-il plus de pommes de terre qu'un Espagnol ?

Sans poser d'opération, indique si, en une année, un Allemand consomme plus de légumes qu'un Autrichien. Un Espagnol consomme-t-il, plus de fruits qu'un Belge ?

	Population en millions d'habitants	Consommation annuelle de fruits et légumes (en millions de kg)		
		Fruits	Légumes	Pommes de terre
Allemagne	81	6 804	8 100	5 913
Autriche	8,1	705	745	462
Belgique	10	1 080	1 080	950
Espagne	40	6 400	4 400	3 600
France	60	4 200	3 900	3 600

145

Pour chaque exercice, recopie
la bonne réponse **A**, **B** ou **C**.

■ Grandeurs et mesures

- Utiliser les équivalences entre les unités de masse.
- Mesurer les angles d'un triangle.
- Calculer le périmètre d'un cercle.
- Calculer une durée.
- Calculer l'aire d'un carré, d'un rectangle, d'un triangle.

		A	B	C	Aide
❶	1 500 g est égal à …	15 kg	1,5 kg	150 kg	**Leçon 53** Mémo *(p. 116)* Exercice 2 *(p. 117)*
❷	5,6 t est égal à …	56 kg	560 kg	5 600 kg	
❸	Les angles A et B de la figure verte mesurent chacun…	$\frac{1}{2}$ angle droit	$\frac{1}{3}$ d'angle droit	$\frac{1}{4}$ d'angle droit	**Leçon 59** Mémo *(p. 128)* Exercice 3 *(p. 129)*
❹	Le rond central d'un terrain de football mesure 9,15 m de diamètre. Quel est son périmètre ?	18,3 m	4,575 m	28,731 m	**Leçon 60** Mémo *(p. 130)* Exercice 1 *(p. 131)*
❺	Sur un programme de télévision, on peut lire : 20 h 50 Film : *Atlantis* / 23 h 05 Documentaire : L'Atlantide. Calcule la durée du film en heures et minutes	2 h 15 min	2 h 05 min	2 h 55 min	**Leçon 62** Mémo *(p. 134)* Exercice 1 *(p. 135)*
❻	Un terrain de basket mesure 26 m de long et 14 m de large. Quelle est son aire ?	80 m²	40 m²	364 m²	**Leçons 64 et 65** Mémo *(p. 138-139)* Exercice 2 *(p. 139-141)*
❼	L'aire de ce triangle rectangle mesure…	6 cm²	12 cm²	9 cm²	

■ Calcul

- Diviser un entier par un entier (quotient décimal).
- Diviser un décimal par un entier.

		A	B	C	Aide
❽	Pose et effectue : 354 divisé par 24	14,75	147,5	1 475	**Leçon 58** Chercher *(p. 126)* Exercices 1 et 3 *(p. 127)*
❾	Pose et effectue : 78,64 divisé par 5	15,728	15 728	157,28	

■ Géométrie

- Percevoir un solide, en donner le nom.
- Reconnaître un patron de solide.
- Connaître les propriétés des quadrilatères.
- Identifier le symétrique d'une figure.

		A	B	C	Aide
10	Ce solide est un …	cône	prisme	cylindre	**Leçon 56** Exercices 2 et 4 (p. 123)
11	Ce patron permet de construire un(e) …	prisme	pyramide	pavé	
12	Un quadrilatère qui possède deux axes de symétrie mais aucun angle droit est un …	rectangle	losange	trapèze	**Leçon 61** Mémo (p. 132)
13	Cette figure a-t-elle été complétée par symétrie ?	Oui	Non	Je ne sais pas.	**Leçon 63** Mémo (p. 136) Exercices 1, 2 et 3 (p. 137)

■ Problèmes

- Résoudre des problèmes relevant de la proportionnalité.
- Résoudre des problèmes dont la résolution implique des conversions.
- Lire, interpréter un graphique.

		A	B	C	Aide
14	8 tuiles pèsent 20 kg. Combien pèsent 6 tuiles ?	15 kg	10 kg	12 kg	**Leçon 57** Chercher (p. 124)
15	Dans un cartable vide de 1,5 kg, un élève a rangé une trousse de 160 g, un cahier de 210 g, trois livres pesant 690 g chacun et un classeur de 1 kg et 50 g. Quelle est la masse du cartable plein ?	5,440 kg	3,610 kg	4,990 kg	**Leçon 53** Exercice 6 (p. 117)
16	En 1850, la France comptait …	42 millions d'habitants	32 millions d'habitants	35 millions d'habitants	**Leçon 55** Chercher A (p. 120)

Leçon 53

1 Combien pèsent les deux pommes ?

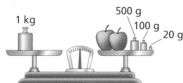

2 Exprime en kg, au moyen d'une fraction, les masses suivantes :

a. une tablette de chocolat de 100 g ;

b. un pot de confiture de 200 g ;

c. un paquet de café de 250 g ;

d. une plaquette de beurre de 500 g ;

e. une boîte de haricots verts de 750 g.

3 Le paracétamol est un médicament qui soulage les douleurs et la fièvre.
Un adulte ne doit pas en prendre plus de 4 g par jour.

Combien de comprimés de 500 mg correspondent à cette dose ?

Leçon 54

4 Dans 100 g d'artichauts frais, 36 g sont comestibles.

Quelle masse comestible obtient-on avec : 1 kg d'artichauts frais ? 500 g ? 5 kg ?

5 Dix cocons de vers à soie donnent, en moyenne, 8 g de fil de soie.

Combien faut-il environ de cocons pour obtenir 1 kg de fil de soie ?

Reproduis et complète ce tableau.

Nombre de cocons	10	50	200	1 000	...
Masse de soie (en g)	8	...	...	...	1 000

6 a. Reproduis et complète ce tableau.

Nombre de cuillères de sucre en poudre	3	5	...	2	10
Masse (en g)	45	75	120	...	...

b. Lucas et Julie préparent chacun un gâteau. Lucas utilise 8 cuillères de sucre et Julie 13 cuillères.

Calcule la masse de sucre employée par chaque enfant.

Leçon 55

7 Ce tableau indique les quantités de légumes frais et de pain qu'il est souhaitable de consommer chaque jour.

Âge	3 à 6 ans	6 à 10 ans	10 à 15 ans	15 à 20 ans	20 à 70 ans	+ de 70 ans
Légumes frais (en g)	200	250	275	350	300	280
Pain (en g)	100	200	250	500	400	250

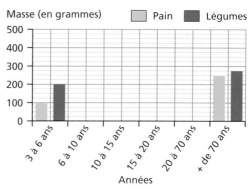

Reproduis le graphique et complète-le.

8 Voici les nombres de véhicules vendus à l'étranger par un constructeur français en 2000.

Allemagne	275 000	Italie	200 000
Argentine	75 000	Portugal	50 000
Bénélux	130 000	Royaume-Uni	175 000
Espagne	250 000	Turquie	75 000

Reproduis le graphique et complète-le.

Leçon 56

9 Pour construire ce prisme droit dont la base est un trapèze, Jules doit choisir l'un de ces patrons.
Lequel convient ?

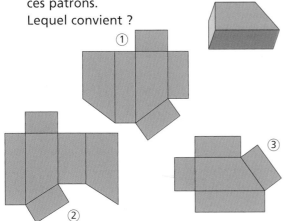

Leçon 57

10 Reproduis cette droite graduée sur ton cahier. Place les graduations 100 et 300.

```
0                    250
```

Leçon 58

11 Pose et effectue ces divisions.

a. au centième près :
29 divisé par 4   52 divisé par 7

b. au millième près :
385 divisé par 19   137 divisé par 26

12 Pose et effectue ces divisions.

a. au centième près :
3,9 divisé par 2   35,2 divisé par 7

b. au millième près :
348,5 divisé par 19   167,38 divisé par 5

13 Le *pied* est une unité de mesure anglaise.
Un pied vaut environ 305 mm.
Andrew mesure 175 cm.

Quelle est, au centième près, sa taille en pieds ?

Leçon 59

14 Utilise les gabarits que tu as construits pour tracer, de deux façons différentes, un angle égal à $\frac{4}{3}$ d'angle droit.

15 Construis un angle de sommet O et qui mesure 2 angles droits.

Que remarques-tu ?

16 Trace le triangle DEF qui a 3 côtés égaux.

a. Compare les angles $\widehat{D}$, $\widehat{E}$ et $\widehat{F}$.

b. Quel est le nom de ce triangle ?

17 Trace un demi-cercle et son diamètre AB = 8 cm.
Marque un point C sur le demi-cercle.
Joins le point C aux points A et B.

Que peux-tu dire du triangle ACB ?

18 Trace un triangle ABC. Le côté BC mesure 6 cm ; les angles $\widehat{A}$ et $\widehat{B}$ sont des demi-angles droits.

a. Que peux-tu dire de l'angle $\widehat{C}$?

b. Quel est le nom de ce triangle ?

Leçon 60

19 Le périmètre du cercle bleu mesure 12,56 cm.

Calcule les périmètres des cercles vert, orange et rouge.

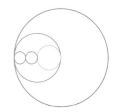

20 a. Calcule le périmètre du grand cercle.

b. Calcule la longueur de la ligne rouge.

c. Que constates-tu ?

15 cm

Leçon 61

21 Reproduis cette figure sur ton cahier.

a. Trace en rouge le quadrilatère AMBN, en bleu le quadrilatère ARBS, en vert le quadrilatère APBL.

b. Quelles propriétés de ces quadrilatères permettent de justifier leurs noms ?

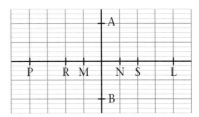

Banque d'exercices et de problèmes *(4)*

Leçon 62

22 L'émission « Concours Eurovision Junior » a débuté à 20 h 55 et s'est terminée à 23 h 30.

Combien de temps a-t-elle duré ?

23 Marine a fait réviser sa voiture.
Le garagiste lui a facturé 2,25 heures de main-d'œuvre.

Écris cette durée en heures et minutes.

24 M. Bruno se rend à son travail en autocar.
Le trajet dure 45 minutes.
Mme Bruno habite à 20 minutes de son bureau.

Exprime chacune de ces durées par une fraction d'heure.

Leçon 63

25 Reproduis cette figure et dessine son symétrique par rapport à la droite rouge.

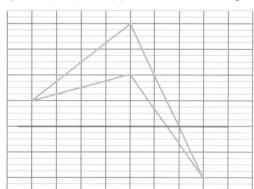

26 Fais le même travail qu'à l'exercice 25.

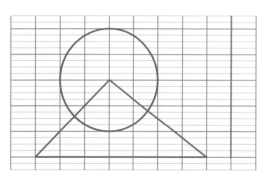

Leçon 64

27 Reproduis et complète ce tableau.

Dimensions en cm	Rectangle A	Rectangle B	Rectangle C
Longueur	25	50	75
Largeur	10	…	30
Périmètre	…	…	…
Aire en cm²	…	1 000	…

Que remarques-tu ?

28 La partie colorée représente le sol d'une cuisine.
Son aire mesure 16 m².

Quel est le périmètre de cette cuisine ?

Leçon 65

29 Une étagère d'angle est un triangle rectangle isocèle. Les côtés de l'angle droit mesurent 28 cm.

Quelle est l'aire de cette étagère ?

30 On veut tracer deux triangles rectangles de même aire.
La base du premier mesure 6 cm et sa hauteur 4 cm.
La base du second mesure 8 cm.

Combien la hauteur du second triangle mesure-t-elle ?

Leçon 66

31 **a.** Utilise ta calculatrice pour trouver le quotient entier et le reste de :
758 divisé par 7   ;   3 164 divisé par 9.

b. Écris chaque réponse sous la forme :
$$758 = (7 \times …) + …$$

Leçon 67

32 « J'ai payé 4,40 € pour 3 croissants et 2 pains aux raisins », dit Manuel.
« Et moi 1,80 € pour un croissant et un pain aux raisins », dit Lola.

a. Quel est le prix d'un croissant ?

b. Quel est le prix d'un pain aux raisins ?

Retrouve Mathéo la mascotte. Cherche dans le dessin des détails illustrant les notions étudiées dans la période.

Période 5

	Leçons		Leçons
• Interpréter un programme de construction.	69	• Utiliser les mathématiques pour mesurer des performances sportives.	75
• Se repérer sur un plan.	70	• Construire un graphique.	76
• Mesurer des contenances.	71	• Agrandir, réduire des figures.	79
• Tracer une figure symétrique à une autre.	72	• Calculer une distance sur une carte.	79
• Calculer un pourcentage.	73	• Calculer le volume d'un pavé.	80
• Calculer la vitesse par heure.	74	• Résoudre des problèmes.	78, 81

Programmes de construction

Compétence : Décrire une figure en vue de la reproduire.

Lire, débattre

Allô, Dominique ? Je voudrais que tu construises une table pour mon salon.

D'accord !

Comment pourraient-ils faire pour se comprendre ?

Chercher

A Quel message permet à quelqu'un qui ne voit pas cette figure de la reproduire exactement ?

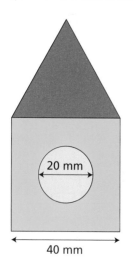

20 mm

40 mm

1. Dessine une maison carrée surmontée d'un toit.
Le côté du carré mesure 40 mm, et le toit est un triangle.
Dans le carré, trace un cercle de 20 mm de diamètre.
Son centre est au milieu de la figure.

2. Trace un carré de 40 mm de côté.
Trace un triangle dont un côté est aussi un côté du carré.
Trace un cercle à l'intérieur du carré ; son centre est placé sur l'axe de symétrie de la figure.

3. Trace un carré de 40 mm de côté.
Au-dessus du carré, trace un triangle équilatéral dont un côté est le côté du carré.
Trace un cercle de 10 mm de rayon.
Son centre est le point de rencontre des diagonales du carré.

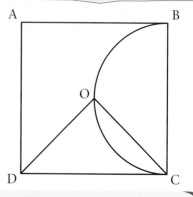

B Écris un message qui permet à quelqu'un qui ne voit pas cette figure de la reproduire exactement.

Mémo

Pour écrire le **programme de construction** d'une figure, imagine d'abord **mentalement** les différentes étapes de la construction.

S'exercer, résoudre

Banque d'exercices et de problèmes n°s 1 et 2 p. 184.

1) À quel programme de construction correspond cette figure ?

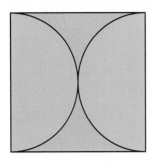

> **1.** Trace un carré.
> Trace deux demi-cercles à l'intérieur du carré.
> Ces demi-cercles se touchent.

> **2.** Dessine la lettre « *x* » et entoure-la par un carré.

> **3.** Trace un carré.
> Trace deux demi-cercles à l'intérieur ayant pour diamètre deux côtés opposés du carré.

2) Recopie dans le bon ordre le programme de construction, puis effectue la construction.

> Trace un demi-cercle de diamètre AB extérieur au losange.

> Trace le demi-cercle symétrique du premier par rapport à la droite AC.

> Trace un losange ABCD de diagonales AC = 6 cm et BD = 3 cm.

3) Trace un carré.
Trace ses diagonales, puis les segments qui joignent les milieux des côtés opposés.
Trace un cercle rouge qui passe par les sommets.
Trace un cercle bleu qui passe par les milieux des côtés.

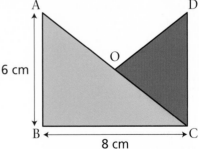

> Trace d'abord à main levée les figures que tu veux construire.

4) Construis la figure que décrit ce message.

> Trace un cercle de centre O et de rayon 3 cm.
> Trace un cercle de même rayon ; son centre P est sur le premier cercle.
> Trace le cercle qui a pour diamètre OP.

5) Rédige un programme de construction permettant à quelqu'un qui ne voit pas cette figure de la reproduire.

6 cm

8 cm

Calcul réfléchi

Observe : 2,8 + 0,7 = 2,8 + 0,2 + 0,5

2,8 + 0,7 = 3 + 0,5 = 3,5

Calcule.

a.	b.	c.
1,7 + 0,7	6,5 + 0,8	12,6 + 0,6
5,9 + 0,9	25,7 + 0,8	34,8 + 0,5

Le coin du chercheur

L'arête d'un cube mesure 4 cm. Il est formé de petits cubes de 1 cm d'arête.
Combien en a-t-il fallu pour le construire ?

70 Problèmes : repérage sur un plan

Compétences : Repérer un lieu sur un plan. Repérer et choisir un trajet.

Calcul mental

Retrancher des centaines.
854 – 200, ...

Lire, chercher

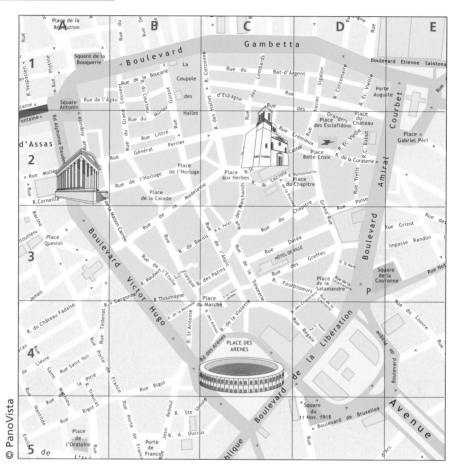

© PanoVista

A Sur le plan du centre de la ville de Nîmes, dans le Gard, la Maison Carrée est située en (A,2). Donne les coordonnées de la porte Auguste, de la place aux Herbes et du square de la Couronne.

B Un visiteur gare sa voiture au square de la Couronne et va, à pied, visiter les arènes. Quelle rue ou boulevard emprunte-t-il ?

C Il prend ensuite le boulevard des Arènes, la rue de la Violette, la rue de la Trésorerie, puis la première rue à droite pour aller retirer des documents dans un bâtiment public. De quel bâtiment s'agit-il ?

D Puis il se rend au bureau de poste ![poste] le plus proche en (D,2). Quelles rues prend-il ?

E Il emprunte ensuite la rue Crémieux, puis la rue Général Perrier. Quel monument va-t-il visiter ? Quelles rues peut-il prendre pour revenir au square de la Couronne par le chemin le plus court ?

Mémo

Les coordonnées des cases d'un plan permettent de se repérer facilement.

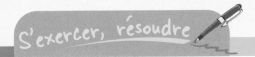

S'exercer, résoudre

Banque d'exercices et de problèmes n° 3 p. 184.

Voici le plan du quartier d'Auteuil, à Paris.

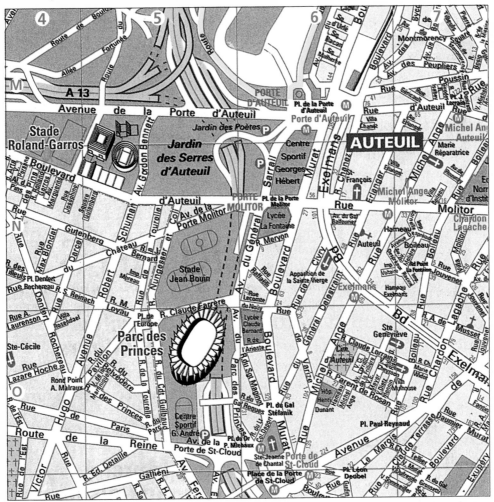

1) Trois amis se donnent rendez-vous à l'angle du boulevard d'Auteuil et de la rue des Pins (N,4), pour se rendre au stade Roland-Garros et assister à un match de tennis.
- Gaétan vient de la porte Molitor (N,6).
- Djamil part du rond-point André Malraux (O,4).
- Cyril vient de la rue J. Bernard (N,5).

a. Pour chacun d'eux, indique le chemin le plus court.

b. Lequel des trois effectue le trajet le plus long ?

2) La semaine suivante, les trois amis vont assister à un match de football au Parc des Princes.
Ils se donnent rendez-vous à l'angle de la rue Claude Farrère et de l'avenue du Parc des Princes.

Range dans l'ordre croissant les distances parcourues par les enfants.

Réinvestissement

Complète.

a. $3,2 \times \ldots = 320$

$\ldots \times 63,8 = 63\,800$

$4,325 \times \ldots = 432,5$

b. $0,75 \times \ldots = 750$

$0,07 \times \ldots = 7$

$0,001 \times \ldots = 1$

Le coin du chercheur

Peux-tu partager un carré en 7 carrés ?

Compétences : Connaître les unités usuelles de contenance.
Lire des graduations

Lire, débattre

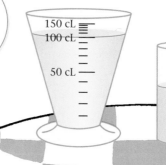

Pourquoi, dans ces verres doseurs, les écarts entre les graduations ne sont-ils pas toujours les mêmes ?

150 cL
100 cL
50 cL

150 cL
100 cL
50 cL

Chercher

CLAFOUTIS
AUX CERISES

2 kg de cerises
7 dL de lait
15 cL de crème
4 œufs
300 g de sucre
400 g de farine

Pour cette recette de clafoutis, il faut mesurer 7 dL de lait et 15 cL de crème fraîche.

Je n'ai que des bouteilles d'un demi-litre de lait !

Tu as appris au CM1 que 1 dL c'est 10 cL ou 100 mL.

A Combien de bouteilles de lait de $\frac{1}{2}$ L faut-il ouvrir ?

Quel volume de lait restera-t-il dans la dernière bouteille ?

B **a.** Recopie et complète. Tu peux utiliser le tableau du Mémo.

7 dL = … mL = … L $\frac{1}{4}$ L = …… L

15 cL = … mL = … L $\frac{1}{4}$ L = ….. dL = ….. cL = …….. mL

b. Quelle est, en L, la contenance de chaque verre doseur du haut de la page ?

C Reproduis le verre doseur ci-contre.

a. Trace en bleu le niveau du lait nécessaire à la recette.

b. Trace en jaune le niveau des 15 cL de crème.

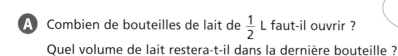

900 mL
800 mL
700 mL
600 mL
500 mL
400 mL
300 mL
200 mL
100 mL

Mémo

L	dL	cL	mL

1 L = 10 dL = 100 cL = 1 000 mL

1 mL = 0,1 cL = 0,01 dL = 0,001 L

$\frac{1}{2}$ L = 50 cL

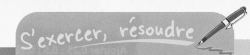
S'exercer, résoudre

Banque d'exercices et de problèmes nᵒˢ 4 à 7 p. 184.

1) **a.** Convertis en L.

15 cL ; 185 mL ; 3 dL ; 12 mL

b. Convertis en cL.

1,2 L ; 75 mL ; 18 dL ; 3 L

2) Recopie et complète.

a. $\frac{1}{4}$ L = ... cL ; $\frac{3}{4}$ L = ... cL

b. $\frac{1}{2}$ L = ... dL ; $\frac{1}{2}$ L = ... mL

3) 1L d'eau pèse 1 kg.

Un lot de 6 bouteilles de 1,5 L d'eau minérale pèse-t-il environ : 6 kg ? 10 kg ? 1,5 kg ? 15 kg ?

Avec ce lot, combien de bouteilles de 50 cL peut-on remplir ?

4) **a.** À combien de mL correspond une graduation ?

b. Quel est, en litre, le volume de liquide dans l'éprouvette ?

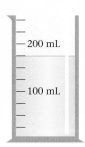

5) Quel est le volume du caillou ?

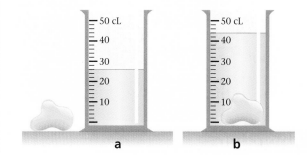

a

b

6) Observe le dessin du compte-gouttes. Il est gradué en mL et en gouttes.

a. Quel est le volume de 20 gouttes ? D'une goutte ?

b. Quel est, en mL, le volume du liquide contenu dans le compte-gouttes ?

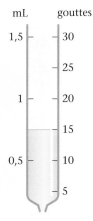

7) Avant la Révolution, on mesurait la quantité de grains de blé en *minot*, *boisseaux*...

> 1 minot = 3 boisseaux = 38,4 L

Un boulanger a utilisé 21 boisseaux de blé.
Quel est, en litres, le volume de blé utilisé ?

Réinvestissement

Trace un triangle ABC. Le côté BC mesure 6 cm ; les angles $\widehat{C}$ et $\widehat{B}$ sont des moitiés d'angle droit.

a. Que peux-tu dire de l'angle $\widehat{A}$?

b. Quel est le nom de ce triangle ?

Le coin du chercheur

Hugo vient d'avoir 8 ans et on ne lui a fêté que deux fois son anniversaire !

Pourquoi ?

Compétence : Résoudre des problèmes relatifs aux pourcentages.

Lire, débattre

30 % de réduction, est-ce pareil que 30 € de réduction ?

350 €
30 €
de réduction

350 €
30 %
de réduction
à la caisse

Chercher

A Ce tableau récapitule les résultats des lancers d'une équipe de basketteuses lors d'un entraînement.

	Nombre de lancers	Nombre de lancers réussis	Pourcentage de réussite
Odile	100	80	80 %
Magdaléna	100	…	50 %
Héléna	50	40	…
Patty	20	15	…
Bettina	40	…	30 %

a. Comment lis-tu les nombres de la dernière colonne ? Que signifient-ils ?

b. Calcule le nombre de paniers réussis par Magdaléna.

c. Sur 50 lancers, Héléna en a réussi 40.
Sur 100 lancers (2 fois plus), elle devrait en réussir 40 × 2 = 80. Elle a donc 80 % de réussite. Avec le même raisonnement, calcule le pourcentage de réussite de Patty.

d. Bettina a 30 % de réussite. Combien marque-t-elle de paniers sur 10 lancers ? Sur 40 lancers ?

e. Tu connais maintenant le pourcentage de réussite de chaque joueuse. Calcule le pourcentage d'échec de chacune d'elles.

B Le médecin de l'équipe a recommandé aux joueuses d'avoir une alimentation journalière équilibrée :
55 % de glucides, 30 % de lipides et 15 % de protéines.

	On en trouve dans …
Glucides	le pain, les pâtes, le miel...
Lipides	l'huile, le beurre, le lait...
Protéines	la viande, les poissons, le lait...

a. Quel graphique correspond le mieux à ces proportions ? Explique pourquoi.

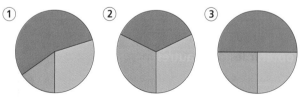

① ② ③

b. À quel pourcentage correspond environ chaque couleur dans les deux autres graphiques ?

Mémo

Un **pourcentage** est une fraction de dénominateur 100.
C'est une nouvelle écriture mathématique.

$$40 \% = \frac{40}{100} = 0,4$$

S'exercer, résoudre

Banque d'exercices et de problèmes n°s 11 à 17 p. 185.

1) Trouve le pourcentage de filles dans chaque situation.
- École Georges Brassens : 96 filles pour 200 élèves.
- École Jacques Prévert : 45 garçons pour 100 élèves.
- École Victor Hugo : sur 50 élèves inscrits à la cantine, 26 sont des filles.

2) Pour chacun de ces fromages, quelle est la masse de matière grasse :
   a. pour 100 g de fromage ?
   b. pour 300 g ?
   c. pour une portion de 25 g ?

PLAISIR 60 % de matière grasse · RACLETTE 40 % de matière grasse

3) Environ 75 % des spectateurs des matchs de football sont des hommes.
   Quel est le nombre d'hommes et de femmes assistant à un match qui rassemble 10 000 spectateurs ?

4) Associe la partie colorée de chaque diagramme aux pourcentages suivants : 75 %   50 %   25 %.

diagramme ① diagramme ② diagramme ③

5) Ce diagramme ci-dessous représente les résultats des élections municipales d'un village.

   Quel pourcentage de voix M. Boffi a-t-il obtenu ?

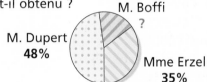

M. Boffi ?
M. Dupert **48%**
Mme Erzel **35%**

6) Ce cyclomoteur est proposé :
   – avec une réduction de 50 € au magasin Cycles 2000 ;
   – avec une réduction de 10 % au garage Napio.

   Quelle est la solution la plus avantageuse pour le client ?

1 000 €

7) En 2003, la population de la France métropolitaine comptait 60 millions d'habitants. 25 % de ces habitants avaient moins de 20 ans.

   a. Sur 1 000 habitants, combien avaient moins de 20 ans ?

   b. Combien y avait-il de jeunes de moins de 20 ans en France métropolitaine ?

Réinvestissement

Convertis.
   a. En cm² : 7 dm² ; 0,5 dm² ; 1 500 mm²
   b. En m² : 800 dm² ; 5 000 dm² ; 25 dm²

Le coin du chercheur

Deux pères et deux fils ont trois œufs.
Chacun peut manger un œuf.
Comment l'expliques-tu ?

Notion de vitesse

Compétence : Résoudre des problèmes relevant de la proportionnalité relatifs aux vitesses.

Lire, débattre

Allô, Inès ? Je suis la plus rapide de ma classe en course !

Moi aussi Marie-Thérèse !

Comment savoir qui court le plus vite ?

Chercher

A Observe ces performances.

a. Peux-tu dire, sans calculer, lequel de ces « coureurs » est le plus rapide ? Pourquoi ?

- Un champion olympique court 100 m en 10 s environ.
- Un lévrier parcourt 1 km en une minute.
- Un cheval de course parcourt 3 600 m en 3 minutes.
- Un éléphant peut atteindre la vitesse de 40 km par heure.
- Un pigeon parcourt 100 km en deux heures.

b. S'il pouvait continuer à courir à la même vitesse pendant une heure, quelle distance parcourrait le champion olympique ? Le lévrier ? Le cheval de course ?

c. Écris, en kilomètres par heure, la vitesse de chacun de ces « coureurs ». Qui court le plus vite ?

B **a.** Le pigeon parcourt 100 km en deux heures. Complète le tableau.

b. Reproduis et complète le graphique.

Durée (h)	2	1	$\frac{1}{2}$	$\frac{1}{4}$
Distance (km)	100	…	…	…

Distance parcourue (en kilomètres)

100
90
80
70
60
50
40
30
20
10
0

0    $\frac{1}{2}$ h   1 h   1 h 30   2 h
Durée (en heures)

c. Quelle distance parcourt le pigeon en $\frac{3}{4}$ h ?

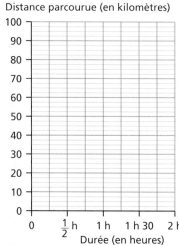

Mémo

Lorsqu'un véhicule parcourt 90 km en une heure sa vitesse moyenne est 90 km par heure (90 km/h).

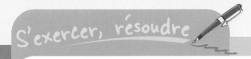

S'exercer, résoudre

Banque d'exercices et de problèmes nᵒˢ 18 et 19 p. 185.

1) Un chauffeur de poids lourd roule à 90 km/h.

Quelle distance parcourt-il en : 1 h ? 1 h $\frac{1}{2}$? 2 h ? 2 h $\frac{1}{2}$?

2) Les grands-parents de Mélanie habitent à 15 km de chez elle. Elle met 20 min pour aller leur rendre visite en scooter.

Quelle est sa vitesse en km/h ?

3) Gaston parcourt le premier kilomètre d'une excursion en 12 minutes.

S'il continue à marcher à la même vitesse, combien de temps mettra-t-il pour parcourir les 10 km de l'excursion ?

4) Sur les autoroutes françaises, la vitesse est limitée à 130 km/h.
Un automobiliste a parcouru 40 km en 15 min.
Un autre a parcouru 330 km en 3 h.

Lequel est en infraction ?

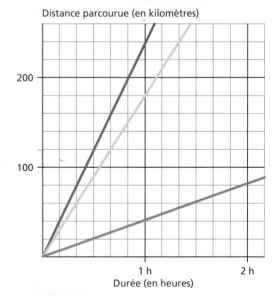

5) Un cycliste, un motard et une pilote de *Formule 1* s'entraînent chacun sur un circuit.

a. Quelle est la couleur du graphique correspondant à chacun d'eux ?

b. Indique pour chacun d'eux leur vitesse en km/h.

c. Quelle distance parcourt chacun d'eux en : 30 min ? en 1 h 30 ?

d. Combien de temps chacun de ces coureurs met-il pour parcourir 120 km ?

Distance parcourue (en kilomètres)

200

100

1 h   2 h
Durée (en heures)

Calcul réfléchi

Observe : $0{,}25 \times 7 = (0{,}25 \times 4) + (0{,}25 \times 3)$

$0{,}25 \times 7 = \quad 1 \quad + \quad 0{,}75 \quad = 1{,}75$

Calcule.

$0{,}25 \times 5$; $0{,}25 \times 6$; $0{,}25 \times 8$; $0{,}25 \times 9$

Le coin du chercheur

Tony a dans une main une pièce de 5 c et dans l'autre une pièce de 10 c. Il multiplie par 2 le nombre de centimes de la main droite et par 3 celui de la main gauche. Il ajoute les deux nombres obtenus et trouve un nombre impair. Dans quelle main se trouve la pièce de 10 c ?

Compétence : Connaître les différentes unités de mesure.

Calcul mental

Tables de multiplication
7 × 8, ...

Lire, débattre

En saut, je suis la meilleure. J'ai sauté plus haut que tous les autres.

Alors ? Pour gagner il faut faire plus ou moins que les autres ?

À la course, je suis la meilleure ! J'ai mis moins de temps que les autres.

Chercher

Observe le tableau de quelques records sportifs.

A **Unités de longueur**
Relève trois épreuves où la performance est donnée par une mesure de longueur.

B **Unités de masse**
Cite :
– un sport où le résultat s'exprime avec une unité de masse ;
– un sport où la masse du sportif est prise en compte ;
– une discipline où la masse du matériel a de l'importance.

C **Unités de temps**
a. Cite plusieurs épreuves où le résultat est exprimé par une unité de temps.

b. Quelles sont les unités de temps utilisées ?

c. Recherche les temps des records du monde du 100 m et du 1 500 m, masculin et féminin. Calcule leur écart.

Quelques records du monde		
Épreuves	Masculin	Féminin
100 m	9" 69/100	10" 49/100
1500 m	3' 26"	3' 50" 46/100
10 000 m	26' 17" 53/100	29' 31" 78/100
Marathon	2 h 4' 26"	2 h 15' 25"
Saut en longueur	8,95 m	7,52 m
Saut en hauteur	2,45 m	2,09 m
Lancement du poids	23,12 m (poids de 7,26 kg)	22,63 m (poids de 4 kg)
Lancement du disque	74,08 m (disque de 2 kg)	76,80 m (disque de 1 kg)
Haltérophilie (– de 69 kg)	197 kg (épaulé-jeté)	158 kg (épaulé-jeté)

Mémo

Unités de mesure

Longueur	Masse	Temps
1 km = 1 000 m	1 kg = 1 000 g	1 h = 60 min
1 m = 100 cm	1 g = 1 000 mg	1 min = 60 s

S'exercer, résoudre

1) Athlétisme
Pour chacune de ces épreuves, précise l'unité de mesure des résultats.
Lancer de poids ; 100 m ; Marathon ; Javelot ; Saut en hauteur

2) Football
• La longueur du terrain doit être comprise entre 100 m et 120 m, la largeur entre 45 m et 90 m.
• La hauteur de la cage de but mesure 2 m 44 cm et sa largeur 7 m 32 cm.
• Le diamètre du ballon est compris entre 21,6 cm et 22,6 cm. Il doit peser entre 396 g et 453 g.
• Un match se joue à deux équipes de 11 et comprend deux mi-temps de 45 min chacune.
• Défense absolue, sauf pour les gardiens, de toucher la balle avec les mains !

Le Stade de France.

a. Quelles unités de masse, de longueurs et de temps relèves-tu dans ce texte ?

b. Quelles mesures sont imposées de façon précise ?

3) Patinage de vitesse
Le 10 mars 2007, le Néerlandais Sven Kramer a battu le record du monde du 10 000 m de patinage de vitesse en 12' 41" 69/100.
« Il a couru à plus de 40 km/h de moyenne, dit Estelle, car son temps est inférieur à 15 minutes. »
Estelle a-t-elle raison ? Pourquoi ?

4) Le Marathon
Le record du monde du Marathon, course de 42,195 km, est 2 h 4' 26".
Donne l'ordre de grandeur de la vitesse, en km/h, du vainqueur de cette épreuve.

5) Comparaisons de performances aux Jeux olympiques
Calcule les écarts entre les performances réalisées en 1896 et 2004.

Épreuves \ Années	1896	2004
110 m haies	17 s 60/100	12 s 91/100
Disque	29 m 15 cm	69 m 89 cm
Marathon	2 h 58 min 50 s	2 h 10 min 55 s
Haltérophilie (épaulé-jeté, mi-lourd)	111,5 kg	220 kg

6) Compétition de judo
Observe ce tableau.

a. Précise les unités de mesure utilisées.

b. À quoi correspondent les différentes lignes de ce tableau ?

Mini Poussins	Poussins
8-9 ans	10-11 ans
1 min	1 min 30 s
De 18 à 21 kg (garçon)	
De 16 à 19 kg (filles)	

Réinvestissement
Une mésange à longue queue pèse 8 g. Chaque jour, elle mange une quantité de nourriture équivalente à sa propre masse.
a. Quelle masse de nourriture mange-t-elle au mois de juillet ?
b. En combien de jours consommera-t-elle 1 kg de nourriture ?

Le coin du chercheur
Reproduis cette figure sans lever ton crayon et sans repasser deux fois sur un même segment.

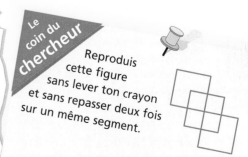

76

Problèmes :
Construire un graphique

Compétence : Graduer les axes d'un graphique en prenant en compte les données et la taille du graphique.

Calcul
mental

Retrancher deux nombres proches.

84 - 69, ...

Lire, débattre

Hauteur de pluie tombée à
Paris

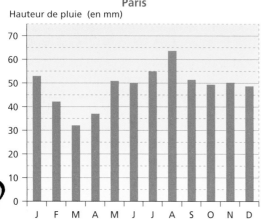

Hauteur de pluie tombée sur
l'île de Tahiti (Pacifique)

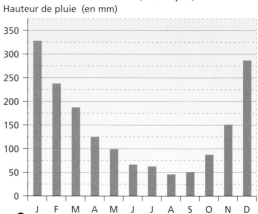

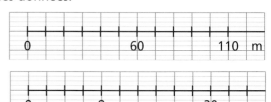

Il est tombé
plus d'eau
à Paris
qu'à Tahiti !

Mais non !
Regarde
les graduations.

Pourquoi
les graduations verticales
ne sont-elles pas
les mêmes ?

Chercher

A **a.** Pourrais-tu représenter la hauteur de pluie tombée à Tahiti sur le graphique de Paris ?
Pourquoi ?

b. Sur un graphique de 12 carreaux sur 12, représente la hauteur de pluie tombée à Rome (Italie)
dans l'année.

Mois	J	F	M	A	M	J	J	A	S	O	N	D
Hauteur de pluie (en mm)	80	75	72	47	35	20	10	35	75	80	120	110

B Pour chacune des situations **1** et **2**, choisis la droite graduée qui convient le mieux.
Reproduis-la. Complète les graduations et places-y les données.

1. Le record du monde du triple saut était 15 m
en 1900, 16 m en 1950, 17 m en 1960 et 18,20 m
en 2000.

2. Le record du monde du lancer de javelot était
50 m en 1900, 66 m en 1920, 80 m en 1950
et 98 m en 2000.

Mémo

Avant de graduer une droite ou un graphique, il faut choisir les graduations qui permettent
de représenter les données de la façon la plus précise et la plus lisible.

S'exercer, résoudre

Banque d'exercices et de problèmes nos 20 et 21 p. 185. et p. 186

1) Ce tableau indique combien Abel pesait selon son âge.

Âge (en mois)	3	4	5	6	7	8	9
Poids (en kg)	5,200	6,100	6,500	7	7,400	7,400	8,100

a. Trace deux axes. Gradue-les pour y porter les données du tableau.
Sur l'axe horizontal, indique l'âge en mois et, sur l'axe vertical, le poids en kg.

b. Place les points du graphique et trace-le.

c. Quels sont les mois où Abel a le plus grossi ? Quel mois n'a-t-il pas grossi ?

2) Voici la longueur de quelques fleuves français.

Adour	335 km
Garonne	647 km
Loire	1 012 km
Rhône	812 km
Seine	776 km

a. Quel est le plus long ? Si tu devais représenter cette longueur sur ton cahier, combien de carreaux utiliserais-tu ?
Quelle longueur représenterait un carreau ?

b. Utilise les carreaux de ton cahier pour tracer un graphique en bâton représentant la longueur de tous ces fleuves.

3) L'espérance de vie moyenne n'est pas la même dans tous les pays de la planète. Voici quelques données fournies en 2000 par l'Organisation mondiale de la santé (OMS).

a. Trace un graphique en bâton représentant cette situation. À combien d'années correspond 1 carreau ?

b. Repère ces différents pays sur un atlas. Dans quel continent se trouvent les pays où l'espérance de vie est inférieure à 60 ans ?

Espérance de vie	
Pays	**Nombre d'années**
Angola	47
Chine	70
France	79
Inde	63
Japon	81
Madagascar	55
Togo	49
États-Unis d'Amérique	70
Zambie	37

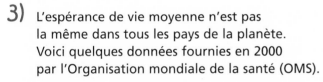

Calcul réfléchi

Observe :
$0,75 \times 5 = (0,75 \times 2) + (0,75 \times 2) + (0,75 \times 1)$
$0,75 \times 5 = \quad 1,5 \quad + \quad 1,5 \quad + \quad 0,75 \quad = 3,75$

Calcule.

$0,75 \times 3$; $0,75 \times 7$; $0,75 \times 4$; $0,75 \times 6$; $0,75 \times 8$

Le coin du chercheur

Trace 5 points de façon que 3 points ne soient pas alignés. Combien peux-tu tracer de droites passant par deux de ces points ?

77 Décimaux et calculatrice

Compétence : Consolider les acquis sur les nombres décimaux.

Calcul mental

Retrancher deux nombres proches.

128 – 127, ...

Comprendre et choisir

A Affiche le nombre **6,154** sur l'écran de ta calculatrice. Sans l'éteindre et sans effacer ce nombre, affiche **6,184**. Compare ta méthode avec celles de tes camarades.
Trouve ce nombre en effectuant une seule opération.

B À partir du nombre **6,184** et en appliquant les mêmes consignes, affiche le nombre **6,19** en une seule opération.

C Halima et Anatole se lancent un défi.
Ils affichent **78,25** sur l'écran de leur calculatrice puis, sans l'éteindre et sans effacer le nombre, ils doivent afficher le nombre **76,3** en effectuant le moins d'opérations possible.
• Observe ce que font Halima et Anatole.

Halima tape ...	La calculatrice affiche...
7 8 . 2 5	78.25
– 0 . 2 5	78
...	76
...	76.3

Anatole tape ...	La calculatrice affiche...
7 8 . 2 5	78.25
+ ...	78.3
...	76.3

• Complète les calculs effectués par Halima et Anatole.
• Qui a remporté le défi ?
• Trouve le résultat en une seule opération.

S'exercer, résoudre

Banque d'exercices et de problèmes n° 22 p. 186

Pour chaque exercice, écris sur ton cahier le programme de calcul.

1) Parmi les touches 0 2 . + – × , lesquelles permettent de passer de **2,2** à **4,22** en une seule opération ?
Écris cette opération.

Tu peux utiliser plusieurs fois la même touche.

2) Pour chaque cas, affiche le premier nombre sur l'écran de la calculatrice, puis trouve le second nombre en une seule opération.

	a	b	c	d	e
Premier nombre	52,35	103,6	27,2	104,5	42,75
Second nombre	52,3	104,62	17,3	84,25	44,25

3) Trouve le second nombre à partir du premier en une seule opération.
Trouve les cas où deux solutions sont possibles.

	a	b	c	d	e
Premier nombre	51,01	84,8	51,6	18,44	5,02
Second nombre	102,02	21,2	17,2	8,22	25,1

4) Écris les opérations qui permettent d'afficher les nombres ci-dessous sans utiliser les touches 0 . 5 .
0,5   ;   0,25   ;   0,75   ;   1,5

Compétence : Élaborer une démarche personnelle pour résoudre des problèmes.

Chercher, argumenter

A À toi de chercher seul ou avec ton équipe.

> Le loup a vu la brebis. Il est situé à 40 m de la bergerie et la brebis seulement à 20 m. Mais il court beaucoup plus vite. Si le loup parcourt 8 m chaque seconde et la brebis seulement 5 m, peut-il la rattraper avant qu'elle puisse se mettre à l'abri dans la bergerie ?

B Observe maintenant le travail de l'équipe de Nadia.

Je fais un schéma, et je cherche à quelle distance de la bergerie se trouveront le loup et la brebis chaque seconde.

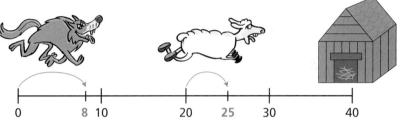

0   8 10   20 25 30   40

a. Explique le raisonnement de Nadia à un camarade. Est-ce le même raisonnement que le tien ?

b. Utilise la méthode de Nadia pour répondre à la question. As-tu trouvé le même résultat ?

C Voici maintenant le début du raisonnement de Victor.

a. Explique-le à un camarade. Est-ce le même que le tien ?

b. Termine les calculs.

Le loup met 5 s pour arriver à la bergerie et…

S'exercer, résoudre

Banque d'exercices et de problèmes n° 23 p. 186.

1) Jacques marche à la vitesse de 6 km/h mais possède deux heures d'avance sur Emma. Celle-ci, sur son vélo, roule à 10 km/h.
Combien de temps mettra-t-elle pour rattraper Jacques ?

2) Chloé et Marius marchent sur le même chemin. Chloé est deux mètres devant Marius qui veut la rattraper. Chloé fait des pas de 80 cm et Marius de 1 m.
Combien de pas Marius doit-il faire pour rattraper Chloé s'ils font le même nombre de pas à la minute ?

3) Lilou possède des pièces de 1 € et Sophia des pièces de 2 €. Elles mettent à tour de rôle une pièce dans une tirelire. Lilou met la première pièce.
Qui a mis la dernière pièce lorsque la tirelire contient 22 € ?

Agrandissement de figures, échelles : les activités

Compétences : Réaliser des agrandissements ou des réductions de figures planes.
Calculer la dimension réelle ou la dimension sur le plan à partir de l'échelle.

A Agrandissement

a. Comment passe-t-on
de la figure ① à la figure ② ?

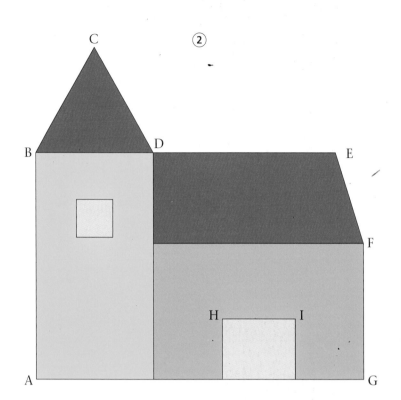

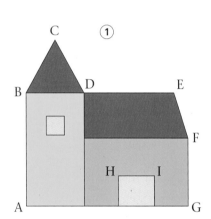

b. Mesure les longueurs des segments indiqués dans le tableau, puis complète-le.

Segments	AB	AG	CE	FG
Figure ①	30 mm	45 mm	...	...
Figure ②	60 mm	...	...	...

c. Compare chaque mesure de segment, effectuée sur la figure ②, à la mesure correspondante de la figure ①.
Que constates-tu ?

d. Mesure les dimensions de la porte sur la figure ①.
Calcule les mesures correspondantes sur la figure ②.
Vérifie en mesurant.

B Réduction

a. Reproduis la figure ③ en divisant
les longueurs des segments AB, BC,
CD, BD, DE et AE par 2.

Procède de la même façon pour
la porte et la fenêtre.

b. La figure que tu as dessinée est-elle
un agrandissement ou une réduction
de la figure ③ ?

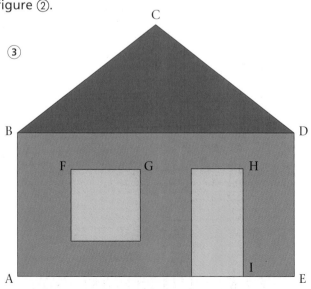

Banque d'exercices et de problèmes n°s 24 à 30 p. 186.

C Plan

Voici le plan de l'appartement de Nils représenté à l'échelle $\frac{1}{100}$. Cela signifie que toutes les dimensions du plan ont été obtenues en divisant par 100 les dimensions réelles.

a. À quelle longueur réelle correspond 1 cm sur ce plan ?

b. Mesure les dimensions intérieures de la cuisine, puis complète le tableau.

	Largeur	Longueur
Dimensions sur le plan (cm)	...	...
Dimensions réelles (cm)	...	...
Dimensions réelles (m)	...	...

c. Nils souhaite placer un canapé entre les deux portes-fenêtres de la salle de séjour. Quelle sera la plus grande longueur possible de ce canapé ?

d. Il veut dessiner le plan de la chambre à l'échelle $\frac{1}{50}$. Que représentera 1 cm sur ce plan ?

Par rapport au plan de l'appartement ci-dessus, la chambre sera-t-elle plus grande ou plus petite ?
Trace, sur ton cahier, le plan de cette chambre à l'échelle $\frac{1}{50}$.

e. Il désire installer un lit dont les dimensions réelles sont 2 m sur 1,40 m.
Dessine le lit à l'échelle $\frac{1}{50}$ sur du carton léger. Découpe-le et colle-le sur le plan de la chambre que tu as dessiné.

D Maquette

Un fabricant de jouets entreprend la construction d'une maquette de voiture à l'échelle $\frac{1}{50}$.

Il dispose des dimensions réelles du véhicule, en centimètres.

Quelles seront, en cm, les dimensions (largeur, longueur, hauteur) du jouet ?

Agrandissement de figures, échelles : la méthode

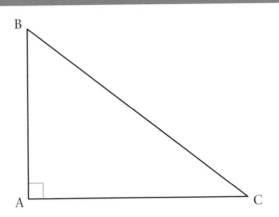

A Comment réduire une figure

Réduis le triangle rectangle ABC
en divisant ses dimensions par 3.

Sur le modèle, le côté AB mesure 45 mm, le côté AC 60 mm et le côté BC 75 mm.

Je divise ces dimensions par 3 pour obtenir les dimensions de la figure réduite :

AB = 45 : 3 = 15 et AC = 60 : 3 = 20.

Je trace AB et AC avec l'équerre. Je vérifie en mesurant le segment BC :

BC mesure 25 mm, ce qui correspond à 75 : 3.

B Comment tracer un plan

Dans une salle de classe rectangulaire de 6 m de large sur 8 m de long, le mobilier comprend 12 bureaux de 0,6 m sur 1,2 m et le bureau du maître dont les dimensions sont 0,9 m sur 1,8 m.

Représente cette classe à l'échelle $\frac{1}{100}$.

À l'échelle $\frac{1}{100}$, 1 cm sur le plan représente 100 cm en réalité ou 1 m.

Je peux donc construire le tableau suivant :

	Bureau des élèves		Bureau du maître		Classe	
Dimensions réelles (en m)	0,6	1,2	0,9	1,8	6	8
Dimensions réelles (cm)	60	120	90	180	600	800
Dimensions sur le plan (cm)	0,6	1,2	0,9	1,8	6	8

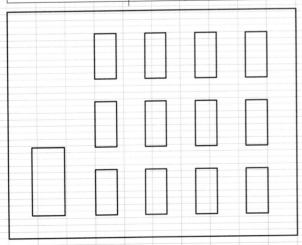

Je trace le rectangle de 6 cm de large et 8 cm de long pour représenter la classe. Je place ensuite les 12 bureaux des élèves qui mesurent chacun 0,6 cm de large et 1,2 cm de long ainsi que le bureau du maître dont les dimensions sont 0,9 cm sur 1,8 cm.

Mémo

① Agrandissement / Réduction

Quand on agrandit ou réduit une figure, toutes ses dimensions sont multipliées ou divisées par le même nombre.

Exemple d'agrandissement par 3

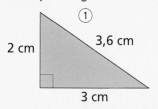

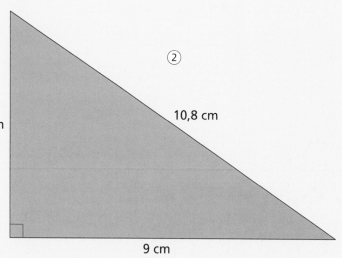

Exemple de réduction par 2

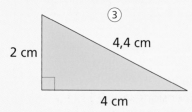

Quand on agrandit ou réduit une figure, les dimensions de la figure obtenues sont proportionnelles aux dimensions de la figure de départ.

② Plan / Maquette

On ne peut pas représenter sur une feuille une maison, une voiture dans leurs dimensions réelles. On dessine un plan ou on construit une maquette à l'échelle $\frac{1}{50}$; $\frac{1}{100}$ ou $\frac{1}{200}$.

Cela signifie que l'on divise les dimensions réelles par 50, par 100, par 200… pour obtenir les dimensions sur le plan.

Lorsque le plan d'une maison est réalisé à l'échelle $\frac{1}{100}$, toutes les dimensions de la maison sont divisées par 100 (ou réduites par 100).

Exemple : Un couloir de 1 m (100 cm) de largeur, dans la maison sera représenté sur le plan par un couloir de 1 cm de largeur.

Si on mesure les dimensions d'une maquette d'avion réalisée à l'échelle $\frac{1}{72}$, on peut connaître les dimensions réelles de l'avion en multipliant les mesures de la maquette par 72.

Exemple : La maquette d'un avion mesure 15 cm de long ; cela signifie que l'avion mesure en réalité 15 cm × 72 = 1 080 cm = 10,80 m.

Agrandissement de figures, échelles : les exercices

A Agrandissement / Réduction

1) Agrandis cette figure en multipliant ses dimensions par 3.

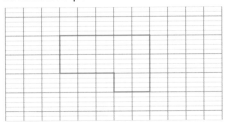

2) Agrandis cette figure en multipliant ses dimensions par 2.

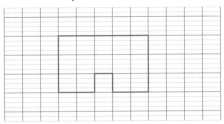

3) Réduis cette figure en divisant ses dimensions par 2.

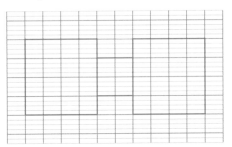

4) Comment passes-tu :
a. de la figure noire à la figure rouge ?
b. de la figure noire à la figure bleue ?

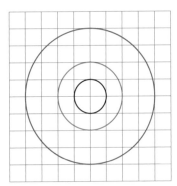

5) Reproduis cette figure en l'agrandissant 4 fois.

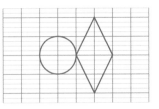

6) Reproduis cette figure en l'agrandissant 3 fois.

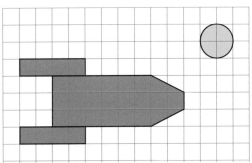

7) Comment passes-tu :
– de la figure ① à la figure ② ?
– de la figure ② à la figure ① ?

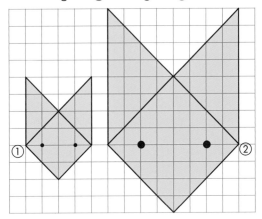

8) Reproduis cette figure en divisant ses dimensions par 3.

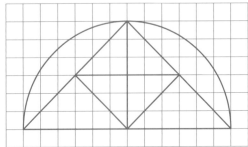

B Plan / Maquette

9) L'Airbus *A 380* a une envergure d'environ 80 m. Il mesure 73 m de longueur et 24 m de hauteur.

Calcule, au mm près, les dimensions de la maquette réalisée à l'échelle $\frac{1}{72}$.

10) À l'échelle $\frac{1}{50}$, une voiture mesure :

– 80 mm de longueur,

– 33 mm de largeur,

– 28 mm de hauteur.

a. Comment peux-tu passer des dimensions du modèle réduit aux dimensions de la voiture ?

b. Recopie et complète le tableau.

	Longueur	Largeur	Hauteur
Dimensions de la maquette (en mm)	80	33	28
Dimensions réelles (en mm)	...	...	...
Dimensions réelles (en m)	...	...	...

11) Le paquebot *Queen Mary 2* mesure 345 m de long. Dans un musée, une maquette de ce bateau est représentée à l'échelle $\frac{1}{250}$.

Quelle est la longueur de cette maquette ?

12) Les cartes routières sont parfois à l'échelle 1/1 000 000.

Quelle distance réelle, en km, représente 1 cm sur la carte ?

13) Sur une carte routière, l'échelle est représentée de la façon suivante :

0   15 km

Combien de kilomètres sont représentés par un centimètre sur la carte ?

14) À Paris, un magasin de souvenirs propose des tours Eiffel de toutes tailles.
La tour Eiffel mesure environ 320 m de haut.

À l'aide des renseignements ci-dessous, calcule la taille de ces tours Eiffel miniatures.

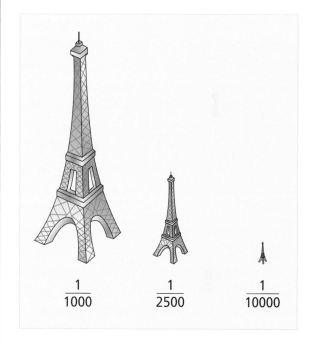

$\frac{1}{1000}$ $\frac{1}{2500}$ $\frac{1}{10000}$

15) Pour les trains en modèles réduits, 80 % des amateurs ont adopté l'échelle au $\frac{1}{87}$ dite « H0 ».

Il existe deux autres échelles :

– l'échelle « N » au $\frac{1}{160}$;

– l'échelle « Z » au $\frac{1}{200}$.

a. Pour quelle échelle le modèle réduit d'une même locomotive est-il le plus grand ? Le plus petit ?

b. À l'échelle « N » la distance entre deux rails est 9 mm.
Quelle est, en réalité, la distance entre deux rails d'une voie ferrée ?

16) **a.** Construis un triangle rectangle ABC. L'angle $\widehat{B}$ est droit, AB = 3 cm et BC = 4 cm.

b. Mesure le périmètre (en cm), puis calcule l'aire (en cm²) de ce triangle.

c. Construis un gabarit pour les angles $\widehat{A}$ et $\widehat{C}$.

d. Agrandis ce triangle en multipliant ses dimensions par 2.
Qu'est-ce qui a doublé :
le périmètre ?   l'aire ?   les angles ?

17) **a.** Agrandis cette figure sur papier quadrillé en multipliant ses dimensions par 2.

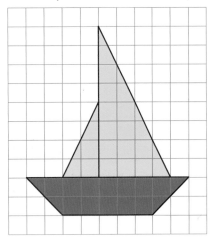

b. L'unité d'aire est le carreau. Calcule ensuite :
– l'aire du modèle ;
– l'aire de la reproduction.

c. L'aire a-t-elle doublé après agrandissement ?

d. Les mesures d'angles ont-elles doublé ?

18) Ce Tangram est reproduit à l'échelle $\frac{1}{5}$.
Construis-le en vraie grandeur sur une feuille unie.

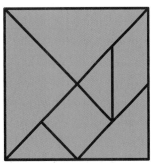

19) Un terrain de football mesure 100 m de long sur 50 m de large.

a. Quelle est l'échelle la mieux adaptée pour représenter ce terrain sur ton cahier ?

b. Dessine cette représentation.

20) **a.** Sur cette carte, quelle est en ligne droite la distance de Bastia à Calvi ?

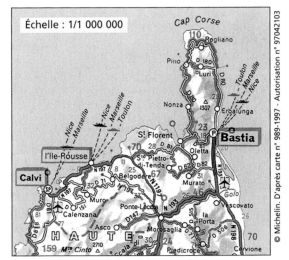

b. Calcule la distance réelle correspondante.

c. Quelle est la distance, par la route, entre ces deux villes ?

d. Un automobiliste roule à 50 km/h. Peut-il effectuer ce trajet en moins de deux heures ?

21) Sur un photocopieur, les agrandissements ou réductions sont donnés en pourcentages :
100 % = 1 ; 150 % = 1,5 ; 80 % = 0,8.

Patrick place la figure ci-dessous sur le photocopieur et tape 200 %.
Dessine la figure qui sortira de la machine.

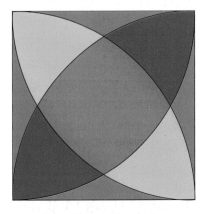

22) Voici un extrait de la carte IGN (Institut géographique national) de la chaîne des puys du Parc naturel régional des volcans d'Auvergne.

Cette carte est à l'échelle $\dfrac{1}{25\,000}$.

a. Des randonneurs doivent parcourir le circuit matérialisé en jaune sur la carte.

À quelle altitude est situé le point de départ ?

À quelle longueur réelle correspond 1 cm sur cette carte ?

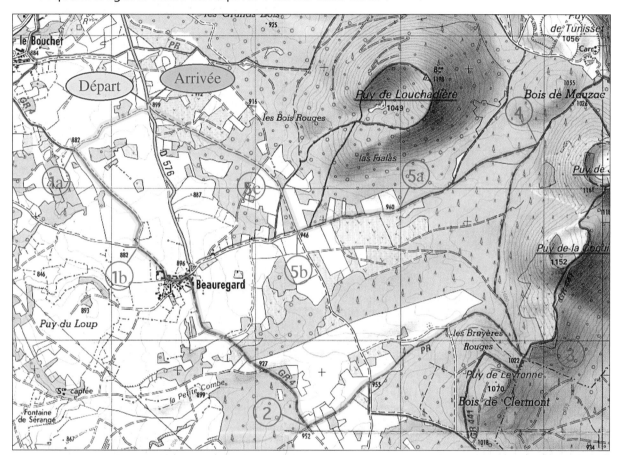

b. Dans ce parcours d'orientation, le but est d'effectuer un circuit en passant obligatoirement par les points de contrôle ①, ②, ③, ④ et ⑤.

Le point de contrôle ① est situé à 630 m du point de Départ.

Est-ce le point ①a ou le point ①b ?

c. Mesure sur la carte le trajet entre les points de contrôle ② et ③.

Quelle distance, en m, doivent parcourir les randonneurs pour relier le point ② au point ③ ?

d. Le point de contrôle ④ est distant à vol d'oiseau de 1 750 m du point de contrôle ⑤.

Le point de contrôle ⑤ est-il situé au point ⑤a ? Au point ⑤b ? Ou au point ⑤c ?

e. À la fin du parcours, un randonneur déclare avoir parcouru 10 km.

Est-ce vrai ? Justifie ta réponse.

Compétences : Calculer le volume du pavé droit.
Reconnaître les unités métriques de volume.

Lire, débattre

Quel aquarium contient la plus grande quantité d'eau ?

Chercher

A Aide Eliott à construire ce pavé avec des petits cubes de 1 cm d'arête.

a. Combien faut-il de petits cubes pour la première couche ?

b. Combien de couches faut-il superposer ?

c. Combien de petits cubes faut-il pour construire le pavé ?

Le volume d'un cube d'un centimètre d'arête mesure un centimètre cube (1 cm³).

d. Quel est, en cm³, le volume de ce pavé ?

e. Écris la formule qui permet de calculer le volume d'un pavé en utilisant sa longueur (L), sa largeur (l) et sa hauteur (h).

$h = 3$ cm

$l = 4$ cm

$L = 6$ cm

B **a.** Quel est, en cm³, le volume du cube ci-contre ?

b. Quelle formule permet de calculer le volume d'un cube quand on connaît la longueur d'une arête (a) ?

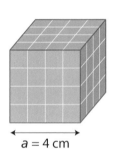

$a = 4$ cm

C Pour mesurer un volume, on peut utiliser le décimètre cube (dm³), le mètre cube (m³)...
Complète.
2 dm³ = ... cm³
5 m³ = ... dm³

1 dm³ = 1 L

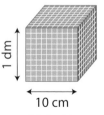

1 dm

10 cm

un décimètre cube

Mémo

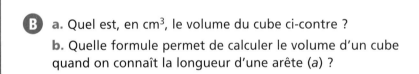

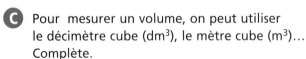

Volume du pavé droit = $L \times l \times h$

Volume du cube = $a \times a \times a$

1 m³ = 1 000 dm³

1 dm³ = 1 000 cm³

1 L = 1 dm³

1 m³ = 1 000 L

S'exercer, résoudre

Banque d'exercices et de problèmes n° 31 p. 186.

1) Quelle unité de volume (m^3, dm^3 ou L, cm^3) vas-tu choisir pour mesurer le volume :

du sable	d'une piscine	de la boîte d'allumettes	d'une pièce	d'un bac à fleurs	de la malle

2) Complète.

$12\ m^3 = …\ dm^3$ $12\ dm^3 = …\ cm^3$ $3\ m^3\ 50\ dm^3 = …\ dm^3$

$1,5\ m^3 = …\ dm^3 = …\ L$ $3,4\ dm^3 = …\ cm^3$ $1\ 500\ L = …\ m^3$

3) L'arête de chaque petit cube mesure 1 cm.

     a. Quelles sont les dimensions de chaque pavé ?

     b. Quel est le volume de chaque pavé ?

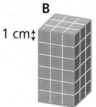
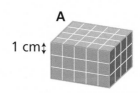

4) **a.** Quel est, en m^3, le volume d'une classe de 9,50 m de longueur, 8 m de largeur et 3 m de hauteur ?

     b. Calcule le volume de ta classe.

5) Un savon cubique a 8 cm d'arête ; un autre savon a 16 cm d'arête.

Le volume du second savon est-il 2 fois, 4 fois ou 8 fois plus grand que celui du premier ?

6) Une pelle mécanique a un godet d'environ 200 L.

Combien de godets faudra-t-il pour remplir la benne d'un camion de 8 m^3 ?

7) **a.** Quel est le volume de cette poutre en bois ?

     b. Quelle est sa masse si 1 dm^3 de ce bois pèse 0,72 kg ?

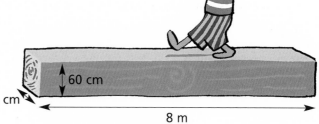

Réinvestissement

Cette figure est dessinée à main levée.
Trace-la avec les instruments de géométrie.

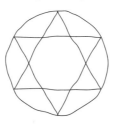

Le coin du **chercheur**

Un cube a un volume de 64 cm^3.

Combien mesure son arête ?

Compétence : Maîtriser l'ensemble des connaissances et des savoir-faire pour interpréter des documents et résoudre des problèmes complexes.

De nombreux incendies de forêt éclatent chaque été, en particulier dans le sud de la France. Certains pompiers de la Sécurité civile ont reçu une formation de pilotes de bombardiers d'eau. Ils décollent de la base de Marignane, près de Marseille, pour soutenir l'action de leurs collègues qui luttent sur le terrain, pied à pied, contre les flammes.

Pour mieux connaître leur mission dangereuse et leurs avions, nous avons recueilli de nombreux renseignements.

Étudie-les, puis aide-nous à répondre aux questions que nous nous posons.

Exprime, en L, la contenance des réservoirs de ces bombardiers d'eau .

Nom du bombardier	Masse d'eau transportée (en t)	Vitesse maximale (en km/h)
Tracker	3,3	320
Fokker	4,9	400
Canadair CL 415	6	320
Hercule	12	400

De combien s'alourdit environ l'avion pendant l'écopage ?

Quelle est, en km, la distance totale nécessaire à un Canadair pour remplir ses réservoirs ?

L'écopage

L'écopage est la phase qui consiste à remplir d'eau les réservoirs de l'avion sur la surface d'un plan d'eau, tout en maintenant une trajectoire horizontale et rectiligne.

À 110 km/h, l'avion s'alourdit de 500 kg par seconde.

En 12 secondes le remplissage des deux réservoirs est terminé.

| Stabilisation 200 m | Écopage 400 m | Décollage 200 m |

Une zone réservée à l'écopage a les dimensions suivantes :
2 km de long, 100 m de large, 2 m de profondeur.

Quelle aire minimale du plan d'eau permet à un Canadair de remplir ses réservoirs sans danger ?

Lors d'un incendie, un Canadair totalise 10 min d'écopage. Quelle quantité d'eau a-t-il écopée ?

Les pompiers du ciel

Le largage

Le largage dure une seconde et deux dixièmes. À ce moment précis, ce Canadair se déleste de 6 000 L d'eau. La masse de cette eau correspond environ au tiers de la masse de l'avion au moment du largage. Sous l'effet de cette perte de masse, l'avant de l'avion se redresse. Le pilote profite de ce mouvement pour regagner de la hauteur. L'avion rejoint alors son altitude de transit et regagne la zone d'écopage à une vitesse de 300 km/h environ, pour un nouveau plein d'eau.

20 % des feux de forêt ont pour cause une action volontaire, 5 % la foudre, 5 % les décharges, 6 % les lignes électriques, 9 % des causes diverses, mais les autres feux ont pour cause l'imprudence.

La maquette au $\frac{1}{72}$ d'un Canadair CL 415 mesure 27,5 cm de long, 39,7 cm d'envergure et 12,5 cm de haut.

Quelle est, en kg, la masse d'un Canadair réservoirs pleins ? Réservoirs vides ?

Ce Canadair vient de larguer son eau et se trouve à 75 km de la zone d'écopage. Combien de temps lui faut-il pour y parvenir ?

Quel est le pourcentage des feux qui ont pour origine l'imprudence ?

Quelles sont, en m, les dimensions réelles de cet avion ?

http://www.pompiersduciel.free.fr

181

Fais le point (5)

Pour chaque exercice, recopie la bonne réponse **A**, **B** ou **C**.

■ Grandeurs et mesures

- Utiliser les instruments pour mesurer.
- Utiliser les équivalences entre les unités de contenances.
- Calculer le volume du pavé.

		A	B	C	Aide
1	Quel est le volume de l'œuf ? mL a b	175 mL	50 mL	125 mL	**Leçon 71** Mémo *(p. 156)* Exercices 1, 2, 4 et 5 *(p. 157)*
2	75 cL c'est égal à …	7,5 L	750 L	0,75 L	
3	500 L c'est égal à …	5 hL	50 hL	5 daL	
4	Le volume de cette boîte est égal à … 18 cm 14 cm 35 cm	630 cm³	8 820 cm³	490 cm³	**Leçon 80** Mémo *(p. 178)* Exercice 4 *(p. 179)*

■ Géométrie

- Tracer une figure à partir d'un programme de construction.
- Réaliser des agrandissements ou des réductions de figures.
- Identifier le symétrique d'une figure.

		A	B	C	Aide
5	Quelle figure a été construite à partir de ce programme de construction ? Trace un carré ABCD. Trace ses diagonales. Elles se coupent au point I. Trace le cercle de centre I et de rayon IB.				**Leçon 69** Chercher *(p. 152)* Exercice 1 *(p. 153)*
6	Comment passes-tu de la figure verte à la figure rouge ?	En multipliant toutes les dimensions par 2.	En divisant toutes les dimensions par 1,5.	En multipliant toutes les dimensions par 1,5.	**Leçon 79** Mémo *(p. 173)* Exercice 7 *(p. 174)*
7	La droite rouge est un axe de symétrie. La figure verte est-elle le symétrique de la figure bleue ?	Oui	Non	Je ne sais pas.	**Leçon 72** Mémo *(p. 158)* Exercices 2 et 3 *(p. 159)*

182

Problèmes

- Résoudre des problèmes relatifs aux pourcentages, aux vitesses, aux échelles.
- Résoudre des problèmes dont la résolution implique des conversions.
- Utiliser une carte ou un plan.

		A	B	C	Aide
8	Quel est le pourcentage de *Barbies* choisies par les filles ? **Les jouets à la mode**	26 %	77 %	74 %	**Leçon 73** Chercher (p. 160) Exercices 1, 2, 4 et 5 (p. 161)
9	Quel est le pourcentage de jeux vidéo choisis par les garçons ?	50 %	48 %	52 %	
10	À la fin d'un match de tennis, un entraîneur observe les services de son joueur. Sur 50 services, le joueur a effectué 35 premières balles. Exprime ce résultat en pourcentages.	70 %	35 %	50 %	
11	Durant la course des *24 heures du Mans*, le vainqueur de l'édition 2008 a parcouru 5 192 km en 24 heures. Calcule sa vitesse moyenne en km/h.	259	216	198	**Leçon 74** Exercice 4 (p. 163)
12	Quelle distance réelle représente 1 cm sur la carte au $\dfrac{1}{100\ 000}$?	100 m	1 m	1 km	**Leçon 79** Mémo (p. 173) Exercices 11 et 12 (p. 175)
13	Un mathusalem est une bouteille qui contient 6 litres. Combien de bouteilles de 75 cL faut-il pour remplir un mathusalem ?	4	8	6	**Leçon 71** Mémo (p. 156) Exercice 3 (p. 157)
14	Voici le plan du centre-ville du Mans. Loïc se trouve au croisement de la rue Wilburg Wright et du quai Louis Blanc. Près de quelle construction antique se trouve-t-il ?	Hôtel de ville	Enceinte romaine	Cathédrale Saint-Julien	**Leçon 70** Lire, chercher (p. 154) Exercice 1 (p. 155)

Leçon 69

1 Construis la figure selon le programme suivant.
– Dessine un carré ABCD dont les côtés mesurent 6 cm.
– Trace ses diagonales et nomme O le point où elles se coupent.
– Trace le cercle qui a pour diamètre le segment OA.

2 Écris un programme de construction permettant à un (ou une) camarade, qui ne voit pas cette figure, de la reproduire.

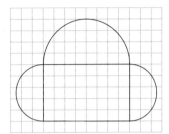

Leçon 70

3 Utilise le plan d'Auteuil de la page 155 pour répondre aux questions suivantes.

a. Zoé habite au carrefour de la route de la Reine et de la rue Ed. Detaille (O,5). Elle veut aller au stade Roland-Garros.

Quel est le trajet le plus court ?

b. Étienne sort du métro Porte d'Auteuil (M,6). Il emprunte le boulevard Murat, puis la rue de Varize jusqu'à son extrémité. Il arrive face à l'établissement où il se rend.

Quel est cet établissement ?

Leçon 71

4 Choisis chaque fois la bonne réponse pour exprimer la contenance.
– Un seau : 10 mL ? 10 cL ? 10 L ?
– Une citerne : 2 L ? 20 L ? 2 000 L ?
– Un verre : 20 mL ? 20 cL ? 20 L ?
– Une bouteille : 1 000 mL ? 1 000 cL ? 100 L ?

5 Elsa achète un flacon qui contient 225 mL de shampoing. Il est prévu pour 15 utilisations.

Quelle quantité de produit Elsa utilise-t-elle, en moyenne, pour chaque shampoing ?

6 Une bonbonne a une contenance de 20 L. Elle est remplie d'huile aux trois quarts.

Combien de litres d'huile contient-elle ?

7 L'eau de mer contient en moyenne 35 g de sel par litre.

Quelle masse de sel contient un verre de 20 cL plein d'eau de mer ?

Leçon 72

8 Utilise un calque pour reproduire cette figure et la compléter par symétrie.

9 Sur du papier quadrillé, écris le nombre 713 705, comme sur le modèle.
Trace le symétrique de ce nombre par rapport à la droite rouge.
Trace ensuite le symétrique du symétrique par rapport à la droite bleue.

Quel mot obtiens-tu ?

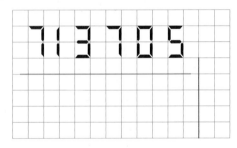

10 Reproduis ce dessin, puis trace son symétrique par rapport à la droite verte.

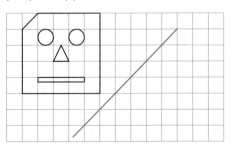

Banque d'exercices et de problèmes (5)

Leçon 73

11 Écris les égalités entre les pourcentages et les nombres.

100 %	25 %	50 %	75 %	20 %
0,50	0,25	1	0,20	0,75

12 Que signifient les renseignements portés sur chacune des étiquettes de vêtements suivantes ?

75 % laine et 25 % fibres synthétiques

80 % coton

100 % laine

13 Voici deux publicités pour les mêmes DVD. Pour réaliser une bonne affaire, quelle offre choisirais-tu ?

LES DEUX DVD
50 €
Remise 20 %

Les deux DVD
soldés !
45 € !

14 Sur une feuille quadrillée, trace un carré de 10 carreaux de côté.
Utilise-le pour représenter l'étendue des terres émergées de notre planète.

Afrique	20 %	Asie	29,5 %
Amérique	28 %	Europe	7,5 %
Antarctique	9 %	Océanie	6 %

Utilise une couleur différente pour chaque continent.

15 Un village côtier de 1 950 habitants voit sa population augmenter de 50 % durant les mois d'été.

Quel est le nombre d'habitants de ce village en été ?

16 a. *La moitié* des élèves de Rochebrune viennent à l'école en bus, *un quart* à vélo, *un dixième* en voiture et *les autres* à pied.

Écris cette phrase en exprimant chacune des données en italique sous la forme d'un pourcentage.

b. L'école de Rochebrune compte 200 élèves.
Combien d'enfants viennent à l'école :
– en bus ?   – à vélo ?
– en voiture ?   – à pied ?

17 Un sondage a révélé que, sur une population de 60 millions de Français, 80 % d'entre eux déclarent regarder la télévision tous les jours et 30 % lire au moins un livre par mois.

Quel est, environ, le nombre de Français :
– qui regardent la télévision chaque jour ?
– qui lisent au moins un livre par mois ?

Leçon 74

18 a. En vol, une caille parcourt environ 15 mètres en une seconde.
Si elle continuait à voler à la même allure, quelle distance parcourrait-elle en une heure ?

b. Un canard colvert parcourt en moyenne 1 200 m en une minute.
S'il continuait à voler à la même allure, quelle distance parcourrait-il en une heure ?

19 En France, la vitesse des automobiles est limitée à 130 km/h sur les autoroutes.
Si on abaissait cette limite à 120 km/h, on réduirait la mortalité par accident de 25 %.

a. Monsieur Lebrun accomplit un parcours de 6 heures à la vitesse moyenne de 130 km/h.
Quelle distance parcourt-il ?

b. Madame Simon accomplit le même trajet en roulant à la vitesse moyenne de 120 km/h.
Quel temps met-elle ?

c. Calcule l'écart entre les temps des deux automobilistes.
Est-il *vraiment nécessaire* de rouler vite ?

Leçon 76

20 Reproduis ce graphique sur ton cahier et représente la longueur des fleuves selon l'exemple (*Congo : 4 700 km*).
Nil : 6 670 km ; Yanzijiang : 5 800 km ; Amazone : 7 025 km ; Missouri : 5 970 km.

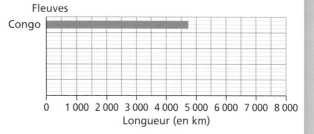

21 Le tableau ci-dessous donne, pour chaque mois, le nombre de jours de vent dans le détroit de Gibraltar.

J	F	M	A	M	J	J	A	S	O	N	D
12	14	20	14	19	22	27	25	20	16	10	12

a. Utilise le quadrillage de ton cahier pour tracer un graphique en bâtons représentant ces jours de vent.

b. Quels sont les mois où le vent souffle plus de 21 jours ?

Leçon 77

22 À l'aide de la calculatrice, trouve l'opération qui permet de passer du premier nombre au second nombre.

	a	b	c
Premier nombre	2,35	8,9	13
Second nombre	10,5	8,72	6,06

Leçon 78

23 Un escargot veut franchir un mur de 11 m de haut. Dans la journée, il monte de 2 m ; la nuit, il redescend de 50 cm.

Au bout de combien de jours arrivera-t-il au sommet du mur ?

Leçon 79

24 Reproduis cette figure sur ton cahier en l'agrandissant trois fois.

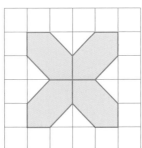

25 Reproduis la figure (en haut de la colonne de droite) sur ton cahier en l'agrandissant une fois et demie.

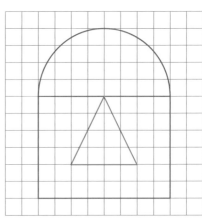

26 Réduis la figure de l'exercice 26 en divisant ses dimensions par 2.

27 Pour chaque échelle, indique quelle distance réelle représente 1 cm sur la carte.

Échelle : $\frac{1}{50}$; échelle $\frac{1}{1\,000}$; échelle : $\frac{1}{50\,000}$.

28 Dessine le plan de ce massif à l'échelle $\frac{1}{50}$.

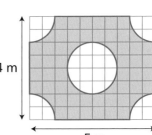

4 m

5 m

29 La cousine de Paul habite un nouvel appartement. Elle lui envoie un dessin à main levée qui représente sa nouvelle chambre. Dessine le plan de cette chambre à l'échelle $\frac{1}{25}$.

125 cm
2,50 m
75 cm
3 m

30 Pour représenter sur ton cahier un terrain de football de 100 m sur 50 m, quelle est l'échelle la mieux adaptée :

$\frac{1}{10}$? $\frac{1}{100}$? $\frac{1}{1\,000}$? $\frac{1}{10\,000}$?

Leçon 80

31 Une piscine en forme de pavé mesure 8 m de longueur, 4 m de largeur et 1,5 m de profondeur.

a. Quel volume d'eau, en m^3, cette piscine contient-elle ?

b. Exprime ce volume d'eau en litres.

Utiliser un logiciel de géométrie dynamique pour tracer des segments et des droites parallèles ou perpendiculaires

1. Ouvre le logiciel **Déclic*** et observe les boutons représentés ci-dessous.

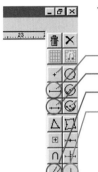

Ce bouton permet de tracer un segment entre deux points.
Ce bouton permet de tracer une droite passant par deux points.
Ce bouton permet de tracer une droite parallèle.
Ce bouton permet de tracer une droite perpendiculaire.

Clique sur le bouton 🗑 « Supprimer », puis sur le point, le segment ou la droite que tu souhaites effacer.

2. Pour tracer un segment

– Clique sur le bouton ▱.
– Place un premier point, puis un second : le segment est tracé automatiquement.

3. Pour tracer une droite

– Clique sur le bouton ▱.
– Place un premier point, puis un second : la droite est tracée automatiquement.

4. Pour tracer une droite parallèle à une droite déjà tracée

– Clique sur le bouton ▱.
– Place un point sur la feuille et clique sur une droite déjà tracée. Une droite parallèle à cette droite et passant par le point apparaît automatiquement.
– Recommence plusieurs fois.

> Place le curseur de la souris sur ces boutons : les mots « Parallèle » et « Perpendiculaire » vont apparaître.

5. Pour tracer une droite perpendiculaire

– Clique sur le bouton ▱.
– Place un point sur la feuille, puis clique sur une des droites. La droite perpendiculaire à cette droite passant par le point est tracée automatiquement.
– Recommence.

• *Que remarques-tu ?*

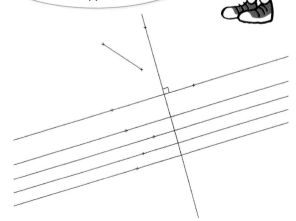

* Cette activité est conçue à l'aide du logiciel *Déclic 32* (téléchargeable gratuitement sur http://emmanuel.ostenne.free.fr). Elle peut être **facilement adaptée et réalisée avec tout** logiciel de géométrie dynamique.

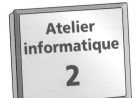

Atelier informatique 2

Utiliser un tableur pour organiser des données et appréhender l'automatisation des calculs

Monsieur Botanil achète un salon de jardin composé de quatre fauteuils, d'une table et de six chaises.

Aide la vendeuse à rédiger la facture en utilisant un logiciel (nommé tableur) qui permet d'effectuer des calculs automatisés.

> *Déplace-toi dans le tableau à l'aide des touches « flèches ».*

1. Ouvre le logiciel **OpenOffice.org Calc*** : le tableur apparaît. Recopie les informations du tableau ci-contre sur la feuille de calcul présente à l'écran.

	A	B	C	D
1	Article	Prix	Quantité	Total
2	Fauteuil	39	4	
3	Table	125	1	
4	Chaise	29	6	
5			A payer	
6				

2. Pour calculer le **Total** pour chaque article, insère une formule de calcul selon l'exemple :
– Clique sur la cellule D2 (case D,2).
– Tape la formule suivante : =B2*C2 pour multiplier (signe *) le prix d'un fauteuil (cellule B2) par le nombre de fauteuils (cellule C2).
– Appuie sur la touche « Entrée ».
– Fais de même pour chaque ligne d'article.

SOMME	▼	*f(x)* ✗ ✓	=B2*C2

	A	B	C	D
1	Article	Prix	Quantité	Total
2	Fauteuil	39		4 =B2*C2
3	Table	125	1	
4	Chaise	29	6	
5			A payer	
6				

> *N'oublie pas le signe « = » devant la formule.*

3. Pour calculer la **somme totale À payer** :
– Clique sur la cellule D5.

– Clique sur le bouton *f(x)* Σ = « Somme ».

– Appuie sur la touche « Entrée ».

• *Combien M. Botanil doit-il payer pour ses achats ?*

SOMME	▼	*f(x)* ✗ ✓	=SOMME(D2:D4)

	A	B	C	D
1	Article	Prix	Quantité	Total
2	Fauteuil	39	4	156
3	Table	125	1	125
4	Chaise	29	6	174
5			A payer	=SOMME(D2:D4)
6				

Monsieur Botanil trouve que le montant de cette facture est élevé.
Il décide d'acheter seulement deux fauteuils, une table et quatre chaises.

4. Modifie les cellules **Quantité** d'après l'énoncé, puis appuie sur « Entrée ».

• *Que remarques-tu sur le **Total** et la somme **À payer** ?*

	A	B	C	D
1	Article	Prix	Quantité	Total
2	Fauteuil	39	2	78
3	Table	125	1	125
4	Chaise	29	4	116
5			A payer	319
6				

---

* Cette activité est conçue à l'aide du logiciel OpenOffice. Elle peut être **facilement adaptée et réalisée avec tout autre** tableur informatique.

Atelier informatique 3

Utiliser les outils de dessin d'un traitement de texte pour tracer des triangles

1. Ouvre le **traitement de texte OpenOffice.org Writer***.
Vérifie si la barre de boutons ci-dessous apparaît en bas de la fenêtre.

Si elle n'apparaît pas, clique sur le bouton ✏ « Dessin » dans la barre du haut.

2. Clique ensuite sur la flèche noire à droite du bouton« Formes de base ».
Voici ce que tu obtiens :

a. Pour tracer un triangle isocèle
– Clique sur le triangle isocèle.
– Pour tracer le triangle, déplace la souris, clic gauche maintenu.
– Imprime-le et vérifie qu'il est isocèle.

• *Ce triangle est isocèle, car...*

b. Pour tracer un triangle équilatéral
– Recommence ce travail, mais, pendant que tu traces le triangle, maintiens la touche ⇧ « Majuscule » enfoncée.
– Imprime-le et vérifie qu'il est équilatéral.

• *Ce triangle est équilatéral, car...*

c. Pour tracer un triangle rectangle
– Clique sur la forme que tu dois choisir pour tracer un triangle rectangle.
– Imprime-le et vérifie qu'il est rectangle.

• *Ce triangle est rectangle, car...*

d. Trace un nouveau triangle rectangle en maintenant la touche ⇧ « Majuscule » enfoncée.
Imprime-le. Que peux-tu dire ?

• *Ce triangle est... et..., car il a...*

3. Clique ensuite sur l'une des figures que tu as obtenues. En utilisant les boutons ci-dessous :

modifie l'aspect et la couleur des côtés et des surfaces.
Cette barre d'outils apparaît en haut lorsque tu cliques sur une figure.
Tu peux, par exemple, obtenir les figures ci-contre :

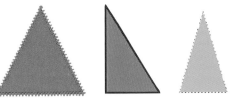

---

* Cette activité est conçue à l'aide du logiciel OpenOffice. Elle peut être **facilement adaptée et réalisée avec tout autre** logiciel de traitement de texte équipé des outils de dessin.

Atelier informatique 4

Utiliser un tableur pour tracer des graphiques

1. a. Ouvre le logiciel **OpenOffice.org Calc*** :
le tableur apparaît. Recopie les informations
du tableau ci-contre sur la feuille de calcul présente à l'écran.

b. Avec la souris, clic gauche maintenu, sélectionne les données :
la partie sélectionnée se teinte en noir.

c. Clique ensuite sur le bouton 🥧 « Insérer un diagramme ».
Avec la souris, clic gauche maintenu, trace le cadre du graphique.

	A	B	C
1	Espérance de vie (ans)		
2	Années	Hommes	Femmes
3	1750	27	29
4	1800	31	35
5	1850	39	41
6	1900	45	49
7	1950	65	71
8	2000	75	83

2. a. Une fenêtre apparaît : cette première étape permet de définir les axes du graphique.

Pour cela, coche « Première ligne comme étiquette »
et « Première colonne comme étiquette ».
Clique ensuite sur « Suivant ».

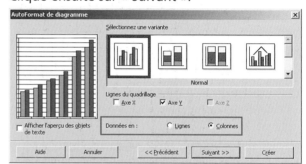

b. L'histogramme est déjà sélectionné, clique
sur « Suivant ». Vérifie que les données soient
en colonnes et clique encore sur « Suivant ».

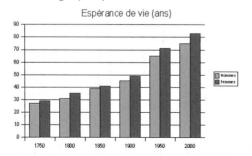

On appelle ces graphiques des histogrammes.

c. Dans
la case
« Titre du
diagramme »,
écris le titre
du graphique.

3. Clique sur « Créer ».
Tu obtiens le graphique ci-dessous.

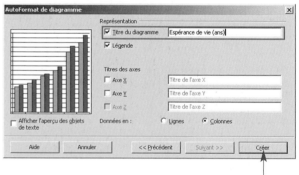

• *Que représentent les barres bleues ?
Les barres rouges ?*

• *Pour comprendre le fonctionnement du
tableur, tape 90 pour l'espérance de vie des
femmes en 2000. Tape sur la touche « Entrée ».*

*Quel changement remarques-tu dans
le graphique ?*

---

* Cette activité est conçue à l'aide du logiciel OpenOffice. Elle peut être **facilement adaptée et réalisée avec
tout autre** tableur informatique.

Atelier informatique 5

Utiliser les outils de dessin d'un traitement de texte pour tracer la figure symétrique d'une figure donnée par rapport à une droite

1. Ouvre le **traitement de texte OpenOffice.org Writer***.

Reporte-toi à l'atelier informatique 3 (page 189) si cette barre de boutons n'apparaît pas.

2. Clique ensuite sur « Formes des symboles ».

Tu obtiens cette fenêtre : ⟶

– Clique sur « Lune ».
– Clic gauche maintenu, déplace la souris et trace un croissant de lune.

3. Pour tracer le symétrique de ce croissant de lune
a. Clique sur la figure si elle n'est pas sélectionnée.

Clique sur le bouton 🖼 « Copier », puis sur la feuille blanche et enfin sur le bouton 🖼 « Coller ».
Déplace la nouvelle figure (les deux figures sont superposées).

b. Clique sur « Format » (dans le menu, en haut de l'écran), puis sur « Retourner ».
Voici ce que tu obtiens : ⟶

– Utilise le bouton 🔲
« Refléter horizontalement »,
puis assemble les croissants
de lune par leurs pointes.

Refléter verticalement
Refléter horizontalement

– Avec le bouton « Ligne » (il est situé en bas, à gauche de l'écran),
trace en rouge la droite qui passe par les pointes.
Tu obtiens la figure ci-contre :

• *Que représente la droite rouge ?*

4. Entraîne-toi à reproduire ce cœur, puis à tracer
son symétrique par rapport à la droite rouge.

---

* Cette activité est conçue à l'aide du logiciel OpenOffice. Elle peut être **facilement adaptée et réalisée avec tout autre** logiciel de traitement de texte équipé des outils de dessin.

Références photographiques

- *Création de la mascotte Mathéo* : René Cannella
- *Conception de la maquette intérieure et réalisation des pages 38-39, 74-75, 108-109, 144-145 et 180-181* : Anne-Danielle Naname
- *Conception de la maquette de couverture* : Estelle Chandelier avec une illustration de Jean-Louis Goussé
- *Exécution de la couverture* : Estelle Chandelier
- *Mise en pages* : Médiamax
- *Illustrations des pages 6, 7 et 8 « Bienvenue au CM2 »* : Pascale Mugnier
- *Illustrations intérieures* : René Cannella
- *Dessins techniques* : Gilles Poing
- *Cartographie* : Frédéric Clémençon (Cartographie Hachette Éducation)
- *Recherche iconographique* : Anne Pekny
- *Relecture* : Chantal Maury
- *Fabrication* : Donia Faiz
- *Édition* : Janine Cottereau-Durand

Pour Hachette Éducation, le principe est d'utiliser des papiers composés de fibres naturelles, renouvelables, recyclables, fabriquées à partir de bois issus de forêts qui adoptent un système d'aménagement durable.
En outre, Hachette Éducation attend de ses fournisseurs de papier qu'ils s'inscrivent dans une démarche de certification environnementale reconnue.

ISBN : 978-2-01-117478-9

© HACHETTE LIVRE 2008, 43, Quai de Grenelle, 75905 Paris Cedex 15.

www.hachette-education.com

Achevé d'imprimer en Italie par Rotolito Lombarda
Dépôt légal : 01/2010 - Edition 02 - Collection n°85
11/7478/8

Cercle et disque

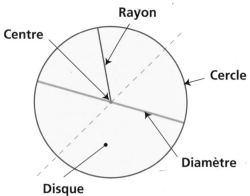

Centre
Rayon
Cercle
Diamètre
Disque

Le cercle est le bord du disque.

Toutes les droites passant par le centre sont des axes de symétrie du cercle et du disque.

Solides

Polyèdres

Un **polyèdre** est un solide dont toutes les faces sont des polygones.

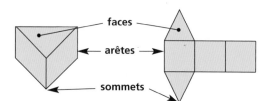

faces
arêtes
sommets

Le **pavé** ou **parallélépipède rectangle**
Les six faces sont des rectangles.

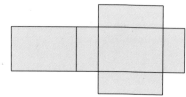

Le **cube**
Les six faces sont des carrés.

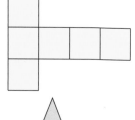

La **pyramide**
Les faces latérales sont des triangles.

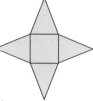

Corps ronds

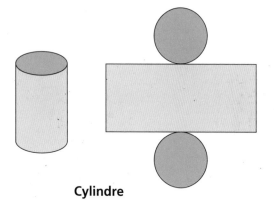  

Cylindre **Cône** **Boule**